C000083785

PENSAMIENTO

EXCESIVO

CÓMO DECLUTAR SU MENTE Y EMPEZAR A PENSAR POSITIVAMENTE, DESCUBRIR HÁBITOS DE ÉXITO RÁPIDO, PENSAR Y MEDITAR, ELIMINAR LA ANSIEDAD Y EL ESTRÉS Y DESBLOQUEAR EL POTENCIAL ILIMITADO DE SU MENTE.

Por Robert Handler

Índice

Introducción

No es difícil caer en el artificio de pensar demasiado en cosas menores a lo largo de la vida cotidiana. Así que, cuando estés contemplando algo, hazte las preguntas necesarias a ti mismo. Se ha descubierto a través de una exploración que extender el punto de vista utilizando estas preguntas directas puede sacarte rápidamente del exceso de pensamiento.

Esfuérzate por establecer breves límites de tiempo para las elecciones. Así que, averigua cómo ser mejor en el establecimiento de oportunidades y en la fijación de fechas de vencimiento en tu vida cotidiana. Independientemente de cuando es una pequeña o más excelente elección.

Ser una persona de movimiento. Cuando entiendas cómo en primer lugar hacer un movimiento de forma fiable, entonces esperarás menos pensando demasiado. Establecer fechas de vencimiento es una cosa que te ayudará a ser una persona de actividad.

Parada estatal en una condición en la que entiendes que no puedes pensar con claridad. De vez en cuando, cuando estás avaricioso o cuando estás acostado en la cama y vas a descansar, por los pensamientos negativos empiezas a murmurar en tu mente.

Haz lo que sea necesario para no terminar agitado por una vaga sensación de inquietud. Otra trampa en la que has caído normalmente que te ha impulsado a pensar demasiado es que has perdido todo sentido de dirección en dudosos sentimientos de miedo sobre una circunstancia de tu vida. Por lo tanto, tu mente enloquecida ha creado situaciones de fiasco sobre lo que podría ocurrir si logras algo. ¿Qué es lo más terrible que podría ocurrir? Deberías averiguar cómo plantearte esta pregunta a ti mismo.

Invierte la gran mayoría de tu energía ahora mismo. Esté ahora mismo en su existencia diaria normal en lugar de antes o en un futuro concebible. Dificultar la forma en que haces lo que sea que estés haciendo bien en este momento. Muévete más despacio, habla más despacio, o monta en bicicleta de forma más gradual, por ejemplo. Haciendo esto, te vuelves cada vez más consciente de cómo utilizas tu cuerpo y de lo que está pasando a tu alrededor en este momento.

Esfuérzate por invertir la parte más significativa de tu energía en individuos que no piensan más. Su condición social tiene una influencia considerable. Descubre enfoques para gastar la parte más sustancial de tu energía y consideración con la población en general y fuentes que los efectos afectan a tu razonamiento.

Contrarrestando el exceso de pensamiento: Un paso hacia una vida mejor

Así que, supongamos que estás en un evento social, rodeado de socios y clientes, y has visto a alguien con quien realmente necesitas conversar. Quizás esté relacionado con los negocios, o necesites desarrollar lazos personales. Como es, se establece un borrador psicológico de lo que se debe declarar, como se hace y significa para cumplir con ellos, sin embargo, un escalofrío en la parte posterior de la cabeza te deja sin palabras. Considere la posibilidad de que ellos prefieran no conversar con usted. Imagine un escenario en el que la línea específica de discusión no funciona. ¿O incluso resulta mal? Tu temor hace una especie de impacto de dominó, y empiezas a pensar en lo más terrible que podría ocurrir como lo ineludible. Con cada idea, se maniobra más dentro de los enredados restos de perplejidad dentro de su psique, y esto, eventualmente, lo hace incapaz de tratar de hablar por más tiempo. En ese punto, observas como alguien más se involucra en la discusión con el tema: una puerta abierta perdida.

El exceso de pensamiento y la tensión resultante, aunque demuestra ser un obstáculo considerable en la vida social y personal, es además escandalosamente normal y para cada persona que es un individuo herido por ello, se convierte en la razón de circunstancias perdidas y minutos que uno lamentaría más tarde. En cualquier caso, con un par de ensayos diarios y un estado de ánimo decodificado, tiende a ser derrotado eficazmente.

Agradecimiento

El paso inicial hacia el manejo de la sobrecarga y la tensión desmesurada es tolerar el tema, en cualquier caso. Directamente después de esto, ¿tendría la opción de sentirse libre para resolverlo? En cualquier caso, si bien es importante darse cuenta de que usted es un remunerador, es igualmente indispensable que comprenda que no es el único en la circunstancia y que no hay motivación para congelarse. Pensar demasiado es algo común entre muchos individuos hoy en día, y casi seguro que usted lo superaría con un comportamiento inspirador.

El mejor minuto es el minuto presente.

Un buen precedente es relajante. Se sorprendería de lo mucho que esto hace la diferencia. Cierra los ojos y respira hondo durante varios minutos. Observar intensamente y tomar respiraciones completas ayuda a tirar de ti en el minuto presente y ayuda a despejar tu cabeza.

Otro buen precedente es reflexionar sobre el cuidado de los ensayos. El pensamiento esencial es permanecer callado y sólo enfocar todo lo que está a su alrededor con atención, y esto ha hecho algunas cosas increíbles para muchos individuos. Sólo una vez al día, cierra los ojos e intenta abarcar la totalidad de tu entorno. Sintoniza tus consideraciones; sin embargo, no te "conectes" con ellas, e inevitablemente, puedes intentar reducir su "volumen".

A pesar de eso, retrocede. Haz todo lo que haces con plena conciencia de que lo estás haciendo. Intenta y describe para ti mismo cada progreso que hagas, y date el poder de ver tu entorno. Esto también te ayudará a permanecer en este momento.

Asegúrate

En el momento en que se llena hasta el tope de confianza y gusto por uno mismo, se desarrolla una perspectiva positiva. Terminarías siendo menos propenso a pensar en exceso; así, todo lo que haces o dices termina siendo mejorado. Lo primero que puedes hacer es ocuparte. Estructurar un arreglo de lo que se va a lograr para la tarde y seguir siendo rentable. Hacer cosas protege tu cerebro de desviarse, y a pesar de eso, completar cosas resulta en una extraordinaria elevación en la certeza a través de un sentimiento de logro. También deberías intentar y lograr algo que eres genial de todas formas una vez al día. Independientemente de si eres un especialista en tocar un instrumento o tienes una habilidad extraordinaria para un juego de computadora, toma un descanso de tu calendario y hazlo. Será una ayuda increíble.

Otro cambio de vida que puede hacer es falsificarlo. Esto puede sonar duro, pero funciona de manera extraordinaria. Imagina que eres un personaje que conoces, que es listo, inteligente y seguro de sí mismo. Tal vez conozcas a uno de un programa de televisión, una película o un libro. Siéntete libre de transmitir todo lo que afirmes con certeza, sin importar si no sabes de ello, o si estás en pánico. Verás que a medida que lo falsificas en una medida cada vez mayor, al final, adquieres esa confianza, en la actualidad.

Ríndete.

Esforzarse por controlar cada uno de los resultados increíbles es, sin duda, el motor fundamental para la compensación. Ya que cuando lo haces, también estás destinado a considerar ardientemente qué hacer en cada instantánea de tu vida en el temor de lo que podría ocurrir de inmediato. Lo mejor que puedes hacer es persuadirte de no hacerlo. Entienda que no tiene nada que ver con lo que sucede en su vida, y, por lo tanto, no hay motivación para estresarse por ello. El universo tiene tu destino elegido, así que debes aprovechar al máximo cada minuto. Intenta entender esto antes de hacer cualquier cosa que puedas fallar, y te ayudará a dejar de pensar en exceso y a ocuparte de los asuntos.

Otra cosa que puedes hacer es hacer asignaciones de tiempo explícitas para decidir cualquier opción. Independientemente de si se trata de proceder a conversar con alguien o de decisiones de vida más significativas que pueden obligarte a pensar demasiado. Pausa por un momento para los pequeños y un par de días para los más grandes en la vida y no más. Esto te empujaría a sondear una opción normalmente e investigar para decidir la decisión ideal. Cuando decidas sobre una oportunidad, acércate y haz lo que sea necesario. Puede asustar, pero al final lo verás remunerado.

Al final del día, la pieza más significativa a reconocer es que en conjunto tenemos la posibilidad de lograr todo lo que hemos anhelado, y lo principal que tenemos que hacer es reforzarnos y evacuar nuestros obstáculos. Lo que, es más, eso tiene un efecto significativo.

Manejar la vida y pensar en exceso

Después de todo el trabajo diligente, esta debería ser la temporada en la que por fin dejemos de preocuparnos y empecemos a divertirnos. ¿Cómo detendrías esos molestos «imagina un escenario donde...» el estrés está volviendo?

Nosotros, como un todo, lo hacemos de vez en cuando - estrés por las cosas que hemos dicho o hecho, examinar los comentarios desechables que otros tienen o invertir horas desmembrando el significado de un correo electrónico o una carta específica. Casi sin reconocerlo, nos vemos absorbidos por un sinfín de contemplaciones y sentimientos negativos que nos hacen disfrutar y emocionarse. Es un ejemplo de que unos pocos clínicos traen el razonamiento. Las consideraciones subyacentes conducen a reflexiones progresivamente negativas, las preguntas a más preguntas. El sobre razonamiento se convierte en un curso que madura y se fabrica para que todo salga bien. Si se estanca en este ciclo negativo, puede influir en su vida. También puede provocar algunas elecciones terribles, cuando generalmente los pequeños asuntos resultan ser tan dramáticamente exagerados que pierdes tu punto de vista sobre ellos.

Cuando nos concentramos demasiado en lo que ha ocurrido anteriormente (futuro) - estamos eliminando el minuto en que estamos. Uno deja de encontrar y apreciar el tiempo y el lugar presente de su vida.

¿Por qué razón lo hacemos? - En la dimensión más fundamental, la ciencia de nuestro cerebro hace que sea fácil de pensar. Las reflexiones y los recuerdos no se quedan en nuestros cerebros segregados y libres unos de otros - están entretejidos en alucinantes sistemas de afiliaciones. Una consecuencia de todas estas desconcertantes interconexiones es que las reflexiones sobre un tema específico en tu vida pueden desencadenar consideraciones sobre otros problemas asociados.

Una gran parte de nosotros tiene algunos recuerdos negativos, estrés sobre el futuro, o preocupaciones sobre el presente. Una parte significativa del tiempo es probable que no seamos conscientes de estas reflexiones negativas. En cualquier caso, cuando se nos presentan, ya sea porque el clima es terrible o porque bebemos una cantidad excesiva de vino, es más sencillo revisar los recuerdos negativos y comenzar el ciclo de sobre razonamiento. Numerosas damas están sobrecargadas con las responsabilidades del hogar y el trabajo y quieren hacer todo magníficamente. En general, nos sentiremos a cargo de todos, una figura a la que deberíamos estar a cargo y nos impondremos extraños requisitos particulares.

¿Cómo derrotarlo? - Si eres un eterno estudioso, el hecho de que te aconsejen invertir un tiempo significativo y relajarte no lo hará por ti. Tienes que encontrar una manera de controlar y conquistar el razonamiento contrario. Terminar con la propensión no es simple, y no hay una respuesta de encantamiento para todo el mundo, excepto que estos son una parte de los medios que los especialistas proponen pueden permitirte romper el ciclo negativo del sobre razonamiento.

1. Ofrécete un indulto - Libera tu cerebro con algo que atraiga tu fijación y levante tu mente - sin importar si es leer un libro decente, pasear el canino, tener un masaje en la espalda o hacer el centro de recreación.

2. Cuando te veas repasando reflexiones similares, hazte saber que debes detenerte. Coloca pegatinas

amarillas en tu área de trabajo y en la casa para informarte.

3. Si hay circunstancias o puntos específicos que desencadenan un razonamiento excesivo, por ejemplo, un área de trabajo llena de papeles o cartas o mensajes abiertos, en ese momento hay que ocuparse de los asuntos, aunque sea poco. El sobre razonamiento que está conectado con la inercia puede convertirse en un bucle sin fin. En lugar de vivir con el temor de lo que no se puede hacer y lo que podría ocurrir, es muy superior manejarlo virtualmente logrando algo.

4. Los temas que se esperan mucho después de un estrés frenético pueden disolverse repentinamente cuando los hablas con un compañero. Pueden parecer absurdos o incluso divertidos. Hacer una broma de ellos puede realmente calmar su estrés.

5. Planea el tiempo de deducción - elige cuando te permites pensar. Punto de confinamiento el tiempo que se da a sí mismo y se adhiere a su horario. Prevea guardar cada una de esas contemplaciones en una sola caja que pueda sacar a una hora determinada, en ese punto selle y guárdela cuando se acabe el tiempo.

6. Aprecie la ocasión... Planee activamente las cosas que entienda. No importa lo que sea, lo que funcione para ti. Es difícil afligirse por un razonamiento negativo cuando estás pasando por buenos momentos.

7. Exprese sus sentimientos - En lugar de entrar en un profundo examen de lo que sus sentimientos realmente significan, permítase encontrarlos para un cambio. Solloza, grita, golpea una almohadilla, te permitirá sentir el calor y después de eso sigue adelante.

8. Perdónese - Eso no significa imaginar que los comentarios leves o dañinos nunca ocurrieron, sino que significa conformarse con la decisión de dejarlos de lado en lugar de insistir en ellos.

9. Ten cuidado. Tómate un tiempo todos los días para estar a la hora. No será sencillo, sin embargo, persevera y recibirás los beneficios. Salir al invernadero para ver el atardecer, pasar 15 minutos en el centro de recreación al mediodía o sentarse en un bistró solo. Trate de no exiliar las consideraciones, deje que viajen en todos los sentidos, pero vea lo que está cerca y cómo se siente su cuerpo

Capítulo 1. ¿Qué es "pensar demasiado"?

Hay muchas formas de describir el exceso de pensamiento. Puede entenderse como una situación en la que uno no puede dejar de preocuparse y pensar en las cosas. Pensar demasiado no es un trastorno. Implica un miedo que crece en ti y que te abruma, pero no puedes evitarlo, pero dejarlo hacer. En algunos casos, en lugar de llorar, simplemente optas por contener las lágrimas. Es el miedo al fracaso: fracasar en el trabajo, fracasar en una cierta clase, fracasar en las relaciones. Pensar demasiado te lleva a trabajar duro para tener expectativas poco realistas. Esto puede sonar productivo, pero en realidad, te agotarás al mantener este ritmo. Pensar demasiado lleva al agotamiento. Emocional y físicamente, te sentirás agotado ya que tu mente nunca se detiene. Siempre está inundada de pensamientos y lo peor de todo es que crees que no hay nada que puedas hacer.

El exceso de pensamiento es esa voz interior que trata de derribarte. Te crítica y destruye tu confianza y autoestima. No sólo dudas de ti mismo, sino que también dudas de los que están cerca de ti. Te empuja a adivinar todo. Pensar demasiado puede compararse con un incendio que se extiende. Quema todo lo que encuentra en su camino. Por lo tanto, sufrirás como resultado de pensar demasiado.

Pensar demasiado es cuando tu mente se aferra a los fallos que has cometido y te lleva a través de ellos a lo largo del día. Cuando piensas demasiado, tu vida estará en constante pausa. Siempre sentirás como si estuvieras esperando el momento adecuado para hacer algo. El problema es que este momento nunca llega. Siempre estás anticipando que algo podría salir mal. Serás demasiado cuidadoso cuando hagas algo. Esto está influenciado por el hecho de que te preocupa que las cosas no salgan como se espera.

Señales que predicen que eres un sobrepensador

Los siguientes son claros indicios de que piensas demasiado. Puede que intente negarlo, pero considere estos signos y pregúntese si son algunas de las cosas que podría haber experimentado.

Analizas demasiado todo

Si notas que analizas en exceso todo lo que te rodea, entonces eres ciertamente un pensador en exceso. Esto significa que puedes tratar de encontrar un significado más profundo en todas las experiencias que atraviesas.

Al conocer nuevas personas, en lugar de entablar una comunicación productiva, puedes centrarte en cómo te perciben los demás. Alguien podría estar dándote una mirada particular y podrías hacer varias suposiciones basadas sólo en esa mirada. Pensar demasiado te consume. Terminas desperdiciando mucha energía tratando de entender y dar sentido al mundo que te rodea. Lo que no te das cuenta es que no todo tiene un significado intrínseco.

Piensas demasiado, pero no actúes

Un pensador excesivo se verá afectado por algo llamado parálisis de análisis. Este es un escenario en el que piensas demasiado en algo, pero al final no haces nada al respecto. En este caso, pasas mucho tiempo sopesando las opciones que tienes a tu disposición. Al principio, te decides por la mejor alternativa. Más tarde, comparas tu decisión con otras posibles decisiones que podrías tomar. Esto significa que no puedes dejar de pensar en las posibilidades y en si tomaste o no la decisión correcta. En última instancia, terminas no tomando una decisión. Sólo te encuentras en un círculo vicioso en el que simplemente piensas mucho, pero hay poco que haces. Tal vez la mejor estrategia para evitar que caigas en una trampa de pensamiento es probar las alternativas que tienes. Una simple decisión de actuar hará una gran diferencia.

No puedes dejarlo ir

A menudo, tomamos decisiones erróneas que podrían llevarnos al fracaso. Cuando esto sucede, puede ser desalentador dejarlo ir más cuando reflexionas sobre los sacrificios que has hecho para llegar al punto en el que estás. Puede que sientas que es doloroso dejarlo ir después de haber invertido mucho dinero en un determinado negocio. La cuestión aquí es que no quieres fracasar. Sin embargo, es importante darse cuenta de que el hecho de no dejarlo sólo te impide probar otra cosa que podría funcionar. También afecta a tu vida ya que pensarás repetidamente en tus fracasos. Necesitas seguir adelante. Es importante que cambies tu atención a otra cosa en vez de castigarte por algo que ahora está fuera de tu control. Convéncete a ti mismo de que no hay nada que puedas hacer sobre lo que ya ha sucedido aparte de aprender de ello. Lo mejor que puedes hacer es dejarte llevar y seguir adelante.

Siempre quieres saber por qué

Sin duda, la noción de preguntar por qué puede ser útil para resolver problemas. Esto se debe a que esta actitud de indagación te da las respuestas que podrías estar buscando. Sin embargo, también puede ser perjudicial cuando no puedes evitar preguntarte por qué. Normalmente, estamos acostumbrados a responder a las preguntas de los niños. Les encanta preguntar por qué sobre cualquier cosa y todo. No dudarán en preguntarte por qué no hablas con tu vecino. Por qué nacen los niños o simplemente por qué les gusta caminar. Hay algo único en la forma en que los niños son curiosos. Los que piensan demasiado mantienen esa actitud investigativa durante toda su vida. Como adultos, hay ciertas cosas que sólo tienen significados superficiales. Por lo tanto, investigar demasiado sólo puede afectar a la forma en que otras personas te ven.

Analizas a la gente

La forma en que ves a otras personas también puede decir mucho sobre ti. En la mayoría de los casos, te pierdes pensando demasiado en cómo se comportan los demás. Puedes tender a juzgar a todos los que te encuentras. Este camina de una manera divertida. Esa persona no está bien vestida. Te preguntas por qué alguien sentado en el parque está sonriendo. Cuando estos pensamientos te llenan la cabeza, sólo te agotarás a ti mismo. Pasar demasiado tiempo enfocado en otras personas sólo te disuadirá de usar tu mente de manera productiva. En lugar de visualizar tus metas y tu futuro, desperdicias tu energía reflexionando sobre pequeñas cosas que no te aportan ningún valor.

Insomnio regular

¿Le cuesta dormir a veces? Puede que te altere la idea de que tu cerebro no puede apagarse y dejar de pensar. Lamentablemente, esto puede paralizarte ya que tu cerebro no recibe el descanso que merece. Poco a poco, notarás una disminución de tu productividad. Es poco probable que te sientas bien contigo mismo ya que es poco lo que logras. Preocuparse demasiado por no poder dormir puede hacer que te sientas incómodo y que te encuentres en un estado de cautiverio. Si esto es algo que has estado experimentando, entonces suena como si fueras un pensador exagerado. ¿Qué podría hacer al respecto? En primer lugar, si no estás activo, entonces es vital que encuentres una manera de mantenerte ocupado. Además, la meditación es una gran práctica que puede ayudarte a dejar de pensar en exceso y relajarte y concentrarte en el presente.

Siempre vives con miedo

¿Tienes miedo de lo que te depara el futuro? Si respondes afirmativamente a esta pregunta, entonces es probable que estés enjaulado en tu mente. Vivir con miedo podría llevarte a recurrir a las drogas y al alcohol como tu mejor remedio.

Ganarás la percepción de que tomar drogas te ayudará a ahogar tus penas y te ayudará a olvidar. Desafortunadamente, este no es el caso, ya que las drogas y el alcohol son meros depresores. Ellos retrasan el funcionamiento de tu cerebro. Como resultado, usted tiende a creer que le están ayudando a olvidar.

Siempre estás cansado

¿Siempre te despiertas por la mañana sintiéndote cansado? Esto podría ser el resultado del estrés o la depresión. En lugar de vivir una vida productiva, te encuentras despertando tarde, cansado y sin motivación. La razón por la que esto sucede es porque no le das a tu mente la oportunidad de descansar. Ha estado trabajando día y noche. Por la noche, en lugar de dormir, te encuentras despierto toda la noche porque estás pensando demasiado. Tu mente no puede trabajar durante 24 horas seguidas en el mismo nivel de funcionamiento. Sólo sufrirás de agotamiento.

Necesitas darle a tu mente tiempo suficiente para descansar y reiniciar.

No vives en el presente

¿Le resulta difícil disfrutar de la vida? ¿Por qué cree que le resulta desalentador sentarse, relajarse y ser feliz con sus amigos? El mero hecho de que no puedas quedarte en el presente implica que no te concentrarás en lo que está pasando en el presente. Pensar demasiado te ciega para no notar nada bueno que esté sucediendo a tu alrededor. A menudo pensarás en lo peor que puede suceder. La cuestión es que estás atrapado en tu mente y no hay nada fuera de tus pensamientos en lo que puedas pensar constructivamente.

El hecho de no vivir el presente le niega la oportunidad de mejorar las relaciones con otras personas. De hecho, vivirás con el temor de que te critiquen. Por lo tanto, sólo querrás existir en tu capullo. Una vez más, esto te llevará al estrés.

Tipos de sobrepensamiento

Hay diferentes formas de pensar en exceso que podrían afectar la calidad de las decisiones que tomamos. Las formas comunes de sobrepensar se discuten sucintamente en los siguientes párrafos.

Pensamiento abstracto

Esto se refiere a una forma de pensamiento que va más allá de las realidades concretas. Por ejemplo, cuando tratas de formular teorías para explicar tus observaciones, entonces te dedicas al pensamiento abstracto. Cuando tu negocio no funciona bien, puedes llegar a la conclusión de que se debe a la economía.

Complejidad

La forma compleja de pensar en exceso se produce cuando hay muchos factores a considerar en el proceso de toma de decisiones. En este caso, estos numerosos factores podrían impedirle sopesar la verdadera importancia de cada uno de ellos. El efecto es que podría impedirte tomar decisiones rápidamente.

Evasión

La evasión se produce cuando se intenta evitar hacer algo utilizando como excusa el proceso de toma de decisiones.

Lógica fría

Cuando se utiliza la lógica fría para pensar, se tiende a evitar confiar en los factores humanos, incluyendo el lenguaje, la cultura, la personalidad, las emociones y la dinámica social. El resultado es que terminas tomando decisiones sesgadas que no consideran las realidades legales o sociales.

Descuido de la intuición

Esto ocurre cuando uno no considera lo que ya sabe. En otras palabras, uno opta por pensar demasiado en algo de lo que ya sabe una o dos cosas. En lugar de seguir su instinto, uno piensa demasiado y termina tomando las decisiones equivocadas.

Creando problemas

También puedes encontrarte pensando de una manera en la que estás creando problemas que no están ahí en primer lugar. Hay ciertas situaciones o cosas que no son tan complejas como piensas. En situaciones ordinarias, te habría tomado un minuto o dos para resolverlas. Es vital centrarse más en el panorama general y no en los detalles. A veces es importante ver las cosas como son.

No te compliques la vida pensando en problemas potenciales.

Ampliación del tema

Normalmente, los pequeños problemas requieren soluciones simples. Hay casos en los que amplificamos estos problemas y terminamos encontrando soluciones demasiado complejas para resolverlos. Esta es otra forma de pensar en exceso. Terminas desperdiciando tus recursos para llegar a soluciones enormes que no coinciden con los problemas que estás experimentando.

Miedo al fracaso

El miedo al fracaso no es un concepto nuevo para la mayoría de la gente. De hecho, es lo que motiva a la mayoría de nosotros a trabajar duro. En lugar de trabajar duro por un futuro brillante, te encuentras a ti mismo sacando motivación del miedo que has desarrollado dentro de ti.

Decisiones Irrelevantes

Hay veces que tomamos decisiones irrelevantes porque nos obligamos a tomar estas decisiones, pero no estamos obligados a tomarlas. Por ejemplo, cuando pensamos en nuestro futuro, hay ocasiones en las que terminamos tomando decisiones irrelevantes basadas en suposiciones.

Casarse, por ejemplo, basándose en las suposiciones que tienes, podrías concluir que necesitas casarte porque te estás haciendo viejo.

Causas del exceso de pensamiento

Después de examinar los posibles signos que podrían indicar que usted es un pensador excesivo y los tipos de pensamiento excesivo, es importante reflexionar sobre las causas. Mientras lee esta sección, pregúntese: ¿qué es lo que le hace pensar demasiado? Francamente, dependiendo de la situación por la que puedas estar pasando, hay varias razones por las que puedes pensar demasiado. Por ejemplo, tu miedo a la vergüenza podría empujarte a pensar demasiado en lo que deberías llevar o en cómo deberías presentarte ante otras personas. Por otro lado, el miedo al fracaso puede llevarte a trabajar duro para lograr tus objetivos.

Las siguientes son razones comunes por las que puede pensar demasiado.

Falta de confianza

La falta de confianza es una de las principales razones por las que la gente tiende a pensar demasiado. Cuando no estás seguro de qué hacer, se abren las puertas a la incertidumbre. Como resultado, tu mente se llena de miedo. Vale la pena señalar que nunca puedes estar seguro de las decisiones que tomas. Por consiguiente, hay veces en las que se le pedirá que corra riesgos al tomar decisiones importantes. Tomar tales riesgos evita que tortures tu mente ya que estarás actuando sin pasar demasiado tiempo pensando. Decidir hacer algo le da confianza. Esto tendrá un impacto en la forma en que maneje los problemas de su vida. Con el tiempo, te convertirás más en un tomador de decisiones que en un pensador.

El segundo paso para la autodefensa.

Aún en el tema de la confianza, dudar de uno mismo es mentalmente agotador. Claro, es comprensible que puedas tomar las decisiones equivocadas. Nadie es perfecto, así que no esperes que siempre tomes las decisiones correctas. Sin embargo, estar constantemente indeciso te robará la confianza. El principal problema aquí es que con frecuencia se estresará por cualquier cosa que requiera que tome una decisión.

Para evitar cuestionarse a sí mismo, es crucial que confíe en sus habilidades. Esto será de gran ayuda, ya que será más consciente de sí mismo y, a su vez, terminará tomando decisiones acertadas. Lo emocionante es que evitarás la idea de pedir repetidamente la opinión de otras personas antes de hacer algo.

Ser un constante preocupante

Las investigaciones demuestran que la ansiedad grave es un problema generalizado entre los adolescentes estadounidenses. La mayoría de ellos temen que puedan fracasar en sus vidas. Además, siempre se preocupan demasiado por el mundo que les rodea. Como resultado, no es sorprendente que tiendan a preocuparse por lo que otros piensan de ellos. El hábito de preocuparse constantemente de que las cosas puedan salir mal te empujará a pensar demasiado. Las imágenes que desarrolles en tu mente mostrarán principalmente los pensamientos de fracaso. Francamente, esto drena energía de ti.

En lugar de preocuparse demasiado por el futuro, debe entender que pensar de forma positiva y constructiva sobre cómo lograr sus objetivos es más productivo. Recuerda, el futuro es incierto para todos. Nadie sabe lo que pasará mañana. Por lo tanto, lo mejor que puedes hacer sobre el futuro es planearlo. Cambiar tu mentalidad para centrarte más en los objetivos que te has propuesto y en cómo puedes alcanzarlos te motivará a vivir una vida con sentido de la dirección. La mejor parte es que el sentido de optimismo que desarrolles te ayudará a ver la vida desde una perspectiva positiva.

El exceso de pensamiento actúa como protección

Puede que te encuentres pensando demasiado porque es una forma de protegerte de los problemas de tu vida. La realidad es que tienes miedo de actuar. Por lo tanto, pensar demasiado sólo frustra tu progreso en la vida. Sólo serás cautivo de tus pensamientos. Vale la pena darse cuenta de que es beneficioso actuar incluso cuando no estás seguro de ti mismo.

Considera los beneficios que obtienes de las experiencias que enfrentas en tu vida. Estas experiencias te hacen más fuerte. Serás más consciente de los pros y los contras de participar en ciertas actividades ya que las has experimentado. Evita caer en la idea de que pensar demasiado te protegerá de tus problemas. Es mejor enfrentar sus desafíos de frente.

No puedes relajarte

Será difícil para tu mente dejar de pensar si prestas demasiada atención al problema que estás enfrentando. Tus problemas te pondrán en un estado de tensión constante. Lo peor es que no has invertido tu tiempo en aprender a relajarte. Por esa razón, será difícil eliminar los pensamientos negativos de tu mente. Los individuos que valoran la importancia de hacer ejercicio o meditar y participar en ejercicios de yoga pueden evitar que su mente piense demasiado. La meditación funciona para ayudarte a conectar tu mente y tu cuerpo. Por lo tanto, a través de esta autoconciencia, puedes identificar la existencia de pensamientos negativos y aprender a separarte de ellos.

Anhelas la perfección

Ser un perfeccionista puede ser percibido como algo bueno al principio. Sin embargo, hay un precio enorme que pagar para vivir como un perfeccionista. A menudo, querrás que todo encaje en su sitio tal y como lo quieres. Nunca estarás satisfecho con nada que no esté a la altura de lo que habías previsto. Por lo tanto, esto significa que siempre pensará demasiado en lo que hay que hacer. Tu mente estará en un bucle constante de cosas sobrepensadas, ya sea que se hagan de la manera correcta o no. Desarrollar tal hábito sólo causará efectos perjudiciales para su salud mental y física.

Capítulo 2. Declare su mente

Vivimos en un mundo que requiere que actuemos en muchas cosas. Además de superar los factores estresantes diarios, debemos aprender a desarrollar los hábitos adecuados que nos impidan preocuparnos y tener pensamientos negativos. El ambiente agotador y el ajetreo que tenemos que enfrentar a menudo llena nuestras mentes de desorden. A menudo llega a un punto en el que nuestras mentes no pueden dejar de pensar. Puedes quedar abrumado con pensamientos que dejan tu mente en un total desorden. ¿Suena esto como tú? Si es así, entonces tu mente está agitando una bandera blanca y puede requerir algo de desorden.

De la misma manera que usted regularmente dedica algo de tiempo a despejar su oficina y su casa, la mente también requiere despejar. Esto garantizará que libere algún espacio para un funcionamiento óptimo. Sin embargo, no es tan fácil como parece, ya que no puede ver exactamente lo que hay en la mente. Como resultado, el proceso de limpieza será diferente de la desclasificación normal a la que usted está acostumbrado. Entonces, ¿cómo vaciar lo innecesario de su mente? Este capítulo se centrará en responder a esta pregunta y le ayudará a entender el significado de la desclasificación de su mente.

Causas del desorden mental

En un caso normal, al limpiar su casa u oficina, comenzará por identificar los artículos que están causando el desorden. De la misma manera, antes de despejar su mente, es importante que empiece por identificar las causas del desorden mental. La importancia de hacer esto es que garantiza que usted puede tratar eficazmente el desorden a largo plazo. Usted será más consciente de los factores que contribuyen al desorden en su mente y trabajará para evitarlos.

Las siguientes son algunas de las causas comunes del desorden mental.

Abrumado

Naturalmente, si estás abrumado con las cosas, entonces te llevará a un desorden en tu mente. Como resultado, será desalentador para usted establecer una forma razonable de tratar sus problemas. Esto causa desorden. Afortunadamente, puedes superar esto reconociendo el hecho de que no puedes manejar todo de una vez. Esto significa que deberías dividir tus tareas en minitareas más pequeñas pero manejables. Maneje estas cosas de una en una. Al final del día, te darás cuenta de que hay mucho que has logrado sin sentirte abrumado.

Compromiso excesivo

Comprometerse a terminar ciertas actividades de su lista de tareas es algo bueno. Sin embargo, cuando no puedes decir que no a otras tareas, significa que te estás comprometiendo demasiado. Manejar demasiadas cosas sólo te llevará a la frustración. Esto se debe a que existe la probabilidad de que no cumplas con tu tarea. Aprender a decir no es un atributo esencial para vivir una vida productiva. Decir no debería considerarse algo malo ya que te comprometes a trabajar productivamente en lo que puedes manejar. Así que evita comprometerte demasiado y asumir más de lo que puedes manejar.

Miedo

Si tienes miedo de dejar ir lo que ha sucedido en el pasado, entonces es probable que te esfuerces en tu mente. El hábito de aferrarnos a las cosas y los pensamientos nos consume a menudo. En lugar de trabajar productivamente, tu mente seguirá rumiando sobre el pasado. Esto es puro desorden. ¿Por qué deberías someterte a esta tortura cuando puedes simplemente aprender a dejarte llevar?

Sobrecarga emocional

Tal vez tu mente está llena de pensamientos y sentimientos no deseados que siguen drenando energía de ti. Por ejemplo, podrías estar lidiando con una crisis familiar inminente y termina afectando tu productividad en el trabajo. Si esto es lo que estás pasando, entonces es mejor que encuentres tiempo para lidiar con el tema. Pide una licencia y libera tu mente de tener que pensar en este asunto repetidamente.

Falta de tiempo

El tiempo siempre será un tema predominante. En todo lo que hagas, a menudo sentirás que no tienes suficiente tiempo. La realidad es que hay suficiente tiempo para manejar todas las cosas importantes de tu vida si priorizas y planificas eficazmente. Por lo tanto, no debes usar la excusa de que te falta tiempo. La única cuestión aquí es que tal vez no sepas cómo manejar tu tiempo de manera efectiva. Organízate y prioriza lo que hay que hacer primero. De esta manera, tendrás más tiempo para manejar las tareas pendientes de tu lista de tareas.

Postergación

Si eres víctima de la postergación, entonces no es una sorpresa que tu mente esté siempre en un estado de sobremarcha. Empujar las cosas para que se hagan más tarde significa que hay muchas cosas que requerirán tu atención cuando llegue el "más tarde". Después de un tiempo, te sentirás abrumado de no poder completar todo a tiempo. El problema comenzó con la decisión de posponerlo.

Un cambio importante en la vida

Otra razón por la que tu mente podría estar llena de desorden es por un cambio importante que ha ocurrido en tu vida. Francamente, a veces tenemos que reconocer el hecho de que el cambio es inevitable. La gente no acepta el cambio en sus vidas. Como resultado, pasan demasiado tiempo haciendo lo que solían hacer en lugar de cambiar. Cuando te enfrentas a estos problemas, es imperativo que evalúes lo que está pasando en tu vida y te esfuerces por cambiar.

La familiaridad con las causas del desorden mental es el primer paso hacia el éxito del desorden mental. Una vez que seas consciente de las causas del desorden en tu mente, puedes desarrollar soluciones prácticas de cómo deshacerte de ellas. Vale la pena tener en cuenta que, en la mayoría de los casos, hay múltiples razones por las que tu mente está desordenada. Así que, abre tu mente cuando intentes identificar los factores que causan tu estado mental desordenado.

Consejos prácticos sobre cómo declutar su mente

Ahora que entiendes lo que está causando todo el desorden, vamos a ver algunas de las formas en que puedes despejar tu mente.

Establecer prioridades

A veces no nos damos cuenta de que una vida sin objetivos es una vida aburrida. Vivir una vida sin objetivos es como vagar por el bosque para siempre sin un mapa. No tienes un destino particular al que quieras llegar. Lo que es peor, ni siquiera sabes cómo maniobrar a través del bosque. Del mismo modo, la vida sin objetivos no tiene sentido. Tus actividades diarias serán consumidas por personas y actividades que no te añaden valor. Vivirás en tu zona de confort, ya que no hay nada que te propongas alcanzar.

Establecer prioridades es un buen punto de partida cuando se busca despejar la mente. Esto requiere que te sientes e identifiques las cosas que más importan en tu vida. Enumera estos objetivos y trabaja para asegurarte de que tus acciones están en línea con los objetivos establecidos. Establecer prioridades crea una estructura con tus listas de tareas. Empezarás a valorar la importancia de delegar tareas cuando sientas que no puedes manejarlas. Y lo que es más importante, aprenderás a decir que no, ya que comprendes la importancia de manejar sólo lo que valoras y lo que puedes asumir.

Lleva un diario

Llevar un diario es una gran estrategia para ayudar a organizar tus pensamientos. La gente tiende a subestimar el poder de anotar sus pensamientos todos los días. Llevar un diario te ayuda a liberar tu mente de cosas de las que no eres consciente. Mejora tu memoria de trabajo y también garantiza que puedes manejar el estrés de manera efectiva. Del mismo modo, el hábito de anotar sus experiencias diarias en un diario le ayuda a expresar sus emociones que pueden estar embotelladas en su interior. Por lo tanto, usted crea un espacio para experimentar nuevas cosas en la vida. El efecto de esto es que usted puede aliviarse de la ansiedad que podría haber estado experimentando.

Aprende a dejar ir

Declutar tu mente también puede ser más fácil si aprendes a soltarte. Aferrarse a las cosas del pasado añade poco o ningún valor a tu vida. De hecho, sólo afecta a tu bienestar emocional y mental. El mero hecho de que no puedas dejar ir implica que encontrarás desalentador mirar hacia adelante. Tu mente se estancará y esto te estresará. Si fueras un pájaro y quisieras volar, ¿qué harías? Sin duda, querrías liberarte de cualquier carga que te agobie. Aplica esto a la vida real y libérate de cualquier carga emocional a la que te puedas aferrar. Ya sea que se trate de tus relaciones pasadas fallidas o de oportunidades de trabajo fallidas, sólo déjalo ir. Hay una mayor recompensa en dejarlo ir ya que se abren las puertas a nuevas oportunidades en tu vida.

Respira

Los ejercicios de respiración también serían útiles para despejar el desorden de tu mente. Hay ciertas formas de meditación que dependen de los ejercicios de respiración para centrar su atención en la respiración.

Entonces, ¿cómo practicas los ejercicios de respiración? Empieza por respirar profundamente y despacio. Haga una pausa por un momento antes de exhalar. Mientras inspira y espira, concentre su mente en cómo está respirando. Concéntrese en cómo su respiración entra y sale de su nariz. Es relajante, ¿verdad? Practicar ejercicios de respiración más a menudo relaja la mente. Además de ayudarte a relajarte, refuerza tu sistema inmunológico de manera profunda. Más adelante, en el capítulo 6, se hablará más sobre esto.

Declare su entorno físico

Si vives en una casa desordenada, entonces hay una buena posibilidad de que te frustres más. Esto puede deberse a que te resulta difícil encontrar las cosas que necesitas. Por ejemplo, terminas perdiendo mucho tiempo buscando las llaves del coche antes de ir a trabajar. Esto afecta la forma en que comienza el día. Te estresará el hecho de haber llegado tarde y de que te esperan numerosas tareas. Por lo tanto, el hecho de despejar tu espacio físico también tendrá un impacto positivo en tu mente. Mantener las cosas organizadas también significa que tu mente está virtualmente organizada para manejar las cosas que deben ser manejadas.

Aprende a compartir tus pensamientos

Hay un sentimiento positivo general cuando te sientas a compartir tus sentimientos con alguien que te importa. En lugar de contener las lágrimas y las emociones, compartir tus sentimientos con tus seres queridos puede despejar el desorden emocional de tu mente. ¿Alguna vez te has preguntado por qué puedes pensar más claramente después de compartir tus sentimientos tristes con otra persona? Hay poder en compartir tus pensamientos y sentimientos con otras personas. Puedes estar más seguro de que estás tomando decisiones informadas ya que tu mente puede pensar con claridad sin estar cegado por tus emociones.

Reduzca su consumo de información

La información que consumimos afecta a la calidad de las decisiones que tomamos. Desafortunadamente, la información que consumimos a veces no es importante para nuestras vidas. Sólo llena nuestras mentes de desorden y esto nos impide pensar con claridad y tomar las decisiones correctas. Lo peor es que causa ansiedad y estrés ya que tendemos a preocuparnos por lo peor que nos podría pasar después de lo que hemos leído o visto en Internet. Limitar lo que consumes de Internet puede ayudar a evitar que la información no deseada ocupe espacio en tu mente. Así que, en lugar de empezar el día consultando la página de los medios sociales, considera la posibilidad de dar un paseo o leer un libro. El punto aquí es que deberías sustituir tu tiempo improductivo en internet por hacer cosas productivas.

Deja un poco de tiempo para relajarte

Más importante aún, para despejar tu mente, deberías considerar tomarte un descanso. Puedes creer que tomar descansos es improductivo, pero la verdad es que tu productividad puede recibir un gran impulso cuando tomas descansos más a menudo. Darse un tiempo para relajarse te ayuda a recargarte. Como resultado, terminas haciendo más en menos tiempo. De esto se trata la efectividad y la eficiencia. Ambas explican tu productividad.

La importancia de desclasificar su mente

Declutar el espacio físico a tu alrededor te ayudará a crear más espacio para cosas más importantes. Además, tal orden también tendrá un impacto en tu mente ya que todo estará organizado y sabrás dónde está todo. Hay pocas cosas que te recuerden que deben ser organizadas. De la misma manera, la desordenación de tu mente también tiene sus beneficios.

Una disminución del estrés y la ansiedad

El desorden te estresará. Sentir que tu mente está desordenada puede hacerte sentir cansado, ya que hay mucho que hacer y poco tiempo. Del mismo modo, el desorden mental también le hará sentirse inseguro. Rara vez estarás seguro de tus habilidades. Repetidamente, notarás que te cuestionas todo lo que haces. Todo esto sucede porque tu mente no puede pensar con claridad. Hay muchas cosas en las que se está enfocando y, por lo tanto, encontrar soluciones prácticas a las pequeñas cosas que tiene por delante puede parecer imposible.

Utilizando las estrategias recomendadas que aquí se discuten para despejar el desorden de su mente, usted puede estar más equipado para reducir sus niveles de estrés y ansiedad. Su mente se sentirá más liberada. El nuevo espacio que ha creado le dará a su mente la energía que necesita para pensar y tomar decisiones inteligentes. Como resultado, te sentirás más seguro de ti mismo y de las decisiones que tomes.

Una mejora en su productividad

El desorden puede impedir que tu mente logre el enfoque que necesita para manejar las prioridades que te has fijado. Por ejemplo, en lugar de levantarse temprano y trabajar en un proyecto importante, puede que te encuentres prestando demasiada atención a la carga emocional que te agobia. Francamente, esto frustra tu nivel de productividad. Es poco probable que uses tu tiempo sabiamente, lo que afecta tu productividad.

Eliminar los pensamientos y emociones no deseados te ayudará a centrarte más en lo que es importante. Le será más fácil establecer prioridades y trabajar en ellas. Te despertarás sintiéndote motivado y orientado a los objetivos. A corto plazo, notarás una mejora en tu eficiencia. Con el tiempo, te darás cuenta de que eres más eficaz que nunca ya que hay más que puedes hacer en menos tiempo.

Inteligencia emocional mejorada

Hay numerosas situaciones en las que permitimos que nuestras emociones afecten a la forma en que percibimos las cosas en la vida. Un minuto amas a alguien y al siguiente piensas que es lo peor y te arrepientes de haberlo conocido. Además, estas emociones nublan nuestro juicio y terminamos sacando conclusiones que no son válidas. En la mayoría de los casos, esto ocurre cuando hay muchas cosas en nuestra mente que tenemos que manejar. El resultado es que no podemos manejar estas emociones de una manera efectiva.

Desconectar tu mente requiere que te deshagas de los pensamientos negativos que te llevan a las emociones negativas. Como resultado, la desclasificación implica más a menudo que dominarás cómo tratar los sentimientos negativos. Es menos probable que permita que los sentimientos negativos lo agobien. Esto se debe a que comprendes que son sólo emociones y dejarlas ir es el mejor curso de acción que puedes tomar.

Puedes transformar tu vida eligiendo desclasificar tu mente. Terminarás tomando mejores decisiones que lleven tu vida en la dirección correcta. Sin embargo, es importante señalar que el proceso de despeje sólo tendrá éxito si sabes de dónde viene el desorden. Para empezar, puede evaluarse a sí mismo y averiguar por qué hay tanto desorden en su mente. ¿Es porque te comprometes demasiado? ¿Es porque estás abrumado con los desafíos que tienes que manejar? ¿Es porque tienes miedo a cometer errores? Conocer las razones del desorden asegura que puedes controlar el desorden a largo plazo. Además, la era digital en la que vivimos no debería ser una excusa para llenar tu mente con información no deseada. Alimenta tu mente con información de calidad que te impulse a alcanzar tus objetivos. Controla tu ingesta de información y libérate del desorden.

Capítulo 3. Desafiando tus pensamientos

Para dejar de pensar en exceso, primero tienes que volver a entrenar tu cerebro. Afortunadamente, hay muchos ejercicios y actividades que puedes usar para reformar tu forma de pensar.

Ahora que sabes un poco sobre cómo pensar en exceso, y también sabes que cuando estás a punto de caer en ese profundo remolino de infinitas emociones negativas, puedes empezar a deshacerte de él por completo, y puedes empezar a desafiar tus pensamientos antes de que se salgan de control.

Antes de empezar

Estas son algunas de las cosas que necesitas saber antes de empezar a desafiar tus pensamientos negativos para que no te sorprendas demasiado y te abrumes con todo lo que está pasando.

1. Necesitas saber que desafiar tus pensamientos puede parecer antinatural, a veces incluso forzado al principio. Pero con un poco de práctica, comenzará a sentirse natural y creíble.

2. Para aumentar la confianza en los pensamientos desafiantes, debe practicarlos en pensamientos que no sean tan molestos y que proporcionen un poco más de flexibilidad. También es una buena idea practicar esta técnica cuando aún se sienta un poco neutral y no demasiado abrumado por sus pensamientos. Intentar practicar el desafío de los pensamientos después de un día particularmente duro y problemático sería pedirte demasiado a ti mismo.

3. Las primeras veces que intente pensar en desafiar sería mejor que anotara sus respuestas. A menudo, cuando los principiantes intentan hacerlo en sus cabezas, terminan con sus pensamientos dando vueltas en círculos, lo que hace que sus pensamientos sean más intensos, y puede causar que se vuelvan demasiado pensantes.

4. Otro beneficio de tomar notas es que, si un pensamiento similar aparece en el futuro, puedes referirte a tus notas y averiguar cómo reaccionaste a él.

5. Puedes practicar con un familiar o un amigo que sabes que no te juzgará. Practicar con otra persona puede ayudarte a arrojar luz sobre los puntos ciegos de tu pensamiento, o pueden ofrecerte diferentes puntos de vista que pueden serte útiles.

6. Cuando practiques por primera vez el desafío de los pensamientos, debes concentrarte en un solo pensamiento en lugar de una serie de ellos tan pronto en el juego. Por ejemplo, en lugar de pensar "Es bastante obvio que mis jefes pensaron que había estropeado el proyecto", deberías dividir tus pensamientos en frases más pequeñas y sencillas, y luego desafiar estos pensamientos uno por uno. Sólo te confundirás si empiezas a desafiar un montón de pensamientos al mismo tiempo.

7. Haz algo que te distraiga una vez que termines de trabajar con un par de preguntas que te hagan pensar. Esto te dará tiempo para que tu mente se calme.

Ahora que sabes lo que debes esperar, aquí tienes algunos de los ejercicios más populares que puedes probar ahora.

Retroceda y evalúe la situación

Aquí hay un escenario que podrías haber experimentado: sientes como si tu jefe te ignorara constante e intencionalmente. Piensas que la razón por la que tu jefe no te ha saludado esta mañana es porque de alguna manera has estropeado algo y que está contemplando la posibilidad de despedirte muy pronto. Por lo general, este tipo de pensamientos provocan que tu mente piense demasiado y que pierdas el sueño, lo que hace que no seas tan eficiente en el trabajo, lo que por lo tanto lleva a que te despidan; en resumen, pensar demasiado los problemas los convierte en profecías autocumplidas.

Por otro lado, si te apartas y analizas tus pensamientos antes de que tu cerebro hiperactivo se desproporcione, puedes controlarlo mejor. En el caso mencionado anteriormente, recuerda que tu jefe rara vez saluda a nadie, y cualquier error que hayas cometido en los últimos días no es motivo para tu despido. A continuación, piensa en lo que podrías hacer para que no te despidan, como aumentar tu productividad, o tal vez aprender una nueva habilidad que te ayude a hacer mejor tu trabajo.

En sólo un par de minutos, has descarrilado tu tren de pensamiento negativo antes de que tenga la oportunidad de ganar impulso.

Escríbelos todos

Otra forma de desafiar tus pensamientos negativos antes de que te hagan pensar demasiado es escribirlos en un papel. Cuando escribes las cosas que te molestan, les das una forma algo tangible, que en realidad te ayuda a volver a analizarlas de una manera más racional. Si quieres llevar esto al siguiente nivel, puedes empezar a hacer un diario de pensamiento.

¿Qué es un diario de pensamiento?

Un diario de pensamiento es diferente de la forma tradicional de diario, tiene una estructura que tienes que seguir para hacer el análisis de tus pensamientos mucho más fácil. Por ejemplo, en un diario del pensamiento, no se comienza una entrada con un "Querido Diario" o cualquier forma de él, las entradas parecen más bien un libro de cuentas.

Haces un diario de pensamientos haciendo un par de columnas en la página y luego las titulas de la siguiente manera:

Antecedentes - Estas son las cosas que te provocaron durante el día.

Creencias - Estos son tus pensamientos sobre las cosas que has enumerado en la primera columna.

Consecuencias - Estas son las cosas que sucedieron debido a tus pensamientos.

Por eso un diario de pensamiento se llama diario ABC.

Aquí hay un ejemplo de cómo escribir una entrada en su diario de pensamiento. De repente empiezas a preocuparte porque tienes una próxima factura que pagar, esta es tu consecuencia. En la segunda columna, escribes que estabas preocupado porque no podías cumplir con la fecha de vencimiento. En la sección de desencadenantes, puedes escribir que estabas viendo las noticias de la noche cuando de repente recuerdas que tienes que pagar.

Después de algún tiempo de escribir en su diario de pensamientos, puede que empiece a notar que los desencadenantes no suelen estar relacionados con los pensamientos que le preocupan. Los pensamientos simplemente ocurren, y los desencadenantes que los hicieron aflorar pueden estar relacionados con ellos en absoluto; los pensamientos son inconstantes en ese sentido.

En la columna de consecuencias, podrías escribir algo como: "Tomé una aspirina para deshacerme del dolor de cabeza que sentía que se avecinaba".

Cada domingo por la noche podrías revisar tus entradas y luego pensar en las cosas que podrías haber hecho mejor. Por ejemplo, para la entrada de arriba, en lugar de tomar una aspirina, podrías haber caminado por el parque para despejar tu mente, o al menos podrías haber comido una manzana o algo sólo para que tu dolor de cabeza no empeore. O podrías llamar a tu compañía de servicios públicos e informarles que podrías estar un poco atrasado en el pago, pero que vas a pagar, y preguntarles si es posible que te eximan de los cargos por atraso. Su diario de pensamientos le ayudará a dar sentido a sus pensamientos confusos poniéndolos en un papel para que los pueda analizar fácilmente. Esta herramienta puede ayudarte a entender tus habilidades para enfrentarte a la situación y por qué terminas tomando decisiones que llevan a consecuencias que no son realmente las mejores para ti. Con la ayuda de un diario de pensamiento puedes cambiar tus consecuencias futuras volviendo a analizar tus pensamientos pasados y haciendo los ajustes necesarios.

Beneficios de un diario de pensamiento

Escribir en un diario de pensamiento te ayuda a identificar las cosas que te hacen pensar demasiado. Cuando escribes tus pensamientos, verás fácilmente si son realmente preocupaciones legítimas, o si son simplemente irracionales. Los diarios de pensamiento te ayudan a recordar cómo te comportaste durante el tiempo en que te hicieron pensar demasiado, y con el tiempo empezarás a notar los patrones en la forma en que piensas.

Cuando reconozcas tus patrones de pensamiento existentes, será posible que cambies no sólo tu comportamiento, sino también tus pensamientos. Cuando notes que empiezan a aparecer pensamientos malignos, puedes practicar la atención (más sobre esto más adelante) y simplemente observarlos y reconocerlos para que desaparezcan. En realidad, no necesitas comportarte de acuerdo a tus pensamientos, puedes ignorarlos y continuar viviendo tu propia vida. Es mucho mejor escribir "Ignoré la idea de..." en lugar de "Fui al pub y bebí unas cuantas pintas para hacerme olvidar", y si notas que estás haciendo básicamente lo mismo casi todos los días, entonces tu diario de pensamientos está funcionando.

Hacer un hábito de escribir un diario de pensamiento

Es muy aconsejable que se haga un hábito de escribir sus pensamientos usando el formato mencionado anteriormente. Puede usar un pequeño cuaderno, un montón de papeles, cualquier cosa que pueda escribir y mantener confidencial. Nadie más, aparte de usted y su terapeuta (si está viendo a uno) debe saber de la existencia de este diario; nadie más debe tener acceso a sus pensamientos internos.

Si no quieres usar el método tradicional, también puedes usar tu smartphone o portátil para crear un documento secreto. Gradualmente, con el tiempo, empezarás a notar cuando empiezas a pensar en exceso y luego dejarás de ir más lejos.

Las emociones negativas, como las que hacen pedazos tu confianza, generalmente pueden conducir a la depresión clínica, te hace sentir irracionalmente solo, sin esperanza, y te destrozarán por dentro. Escribir te ayuda a deshacerte de tus pensamientos autodestructivos. Es un arte que puede ayudarte a compartir tus sentimientos más íntimos y tus pensamientos más profundos.

Escribir tus sentimientos en un papel es una forma de expresar libremente tus puntos de vista y opiniones sobre las cosas que sucedieron durante el día, y el efecto que tuvieron en tu vida. No sólo estás escribiendo palabras en papel, estás eliminando efectivamente todos estos pensamientos negativos de tu mente, y con ellos va toda esa negatividad que vino con ellos.

Consigue un hobby

¿Siempre has querido aprender a tocar el piano, la guitarra, el ukelele o cualquier otro tipo de instrumento musical, por qué no intentas aprender hoy? ¿Quieres ser bueno en el dibujo, la caligrafía o la pintura? Asiste a las clases o mira los videos tutoriales en línea. También puedes jugar a tus videojuegos favoritos durante una hora más o menos. Tener un hobby no sólo te da una salida creativa, sino que también te proporciona una manera de crear algo con tus manos, también te permite pensar individualmente, y lo más importante, los hobbies te proporcionan un escape de tus pensamientos negativos.

Cuando sienta que sus pensamientos empiezan a abrumarle, saque su equipo de aficiones y sumérjase en la actividad. Piérdase en las habilidades, coordinación, concentración y repetición que su hobby requiere que haga. Concentre su mente en la comodidad o el desafío que le brinda su pasatiempo elegido, y permita que ahuyente todas las preocupaciones que solían desencadenar su exceso de pensamiento.

Medita tus preocupaciones a distancia

La meditación puede ayudarte a enfocar tu mente lejos de las cosas que te preocupan. De hecho, la meditación guiada puede ayudarte a reajustar tu mente, dejándote así sin carga, y refrescado; listo para todos los desafíos que puedan presentarse en tu camino.

La meditación es diferente de la atención, esta última es una técnica de estímulo del momento que se puede utilizar en cualquier lugar y en cualquier momento. La meditación, en el sentido más puro, debe practicarse en un ambiente tranquilo, silencioso y relajante tanto como sea posible.

Aquí hay un par de técnicas de meditación. Pruébenlas todas y escojan la que más les guste.

1. Respiración enfocada

La respiración es una de las acciones involuntarias del cuerpo, lo que significa que no necesitas ordenar a tu cuerpo que respire, simplemente sucede. Sin embargo, puedes convertir tu respiración en una forma de meditación con sólo tomar nota de cada respiración que hagas.

En la meditación de respiración enfocada, se toman respiraciones largas, lentas y profundas; respiraciones tan profundas que también llenan el abdomen con aire. Para practicar esta forma de meditación, se desconecta la mente de todos los pensamientos, y se centra toda la atención en la respiración. Esto es especialmente útil para cuando empiezas a notar que tus pensamientos empiezan a salirse de tu control.

Sin embargo, esta técnica podría no ser apropiada para quienes tienen dolencias respiratorias, como el asma y algunas dolencias cardíacas.

2. Meditación guiada

Esta técnica requiere que se le ocurran paisajes, lugares o experiencias relajantes que le ayuden a relajarse mejor. Si tienes dificultad para idear escenas para tus sesiones de meditación guiada, puedes usar cualquiera de las muchas aplicaciones gratuitas disponibles en línea.

Las imágenes guiadas son geniales porque sólo tienes que seguir las instrucciones del instructor de voz suave y estarás bien. Esta técnica es mejor para aquellos que sufren de pensamientos intrusivos crónicos.

3. Meditación Mindfulness

Como se mencionó anteriormente, esto es diferente de la meditación real. Esta práctica sólo requiere que estés sentado cómodamente, y que te concentres en el presente sin desviarte hacia tus pensamientos problemáticos del pasado y del futuro. Esta forma está disfrutando actualmente de un gran aumento de popularidad, principalmente porque puede ayudar a las personas que están luchando con la ansiedad, el dolor crónico y la depresión.

4. Yoga, Tai Chi, o Qui Gong

Estas tres artes antiguas pueden no parecer similares, sin embargo, todas combinan la respiración rítmica con diferentes posturas y movimientos corporales. El hecho de tener que concentrarse en la respiración mientras se realizan diferentes posturas hace que estas actividades sean efectivas para distraer la mente de los pensamientos negativos. Además, estos ejercicios también pueden ayudarle a ganar más flexibilidad, equilibrio y fuerza interior. Sin embargo, si usted tiene una condición debilitante o dolorosa que le impide hacer algo remotamente físico, entonces estas actividades podrían no ser adecuadas para usted. No obstante, puede preguntarle a su médico si puede practicar estos ejercicios, él podría recomendarle un buen fisioterapeuta o un gimnasio que realmente pueda ayudarle. Ahora bien, si su médico cree que es una mala idea que usted haga estos ejercicios, preste atención a sus palabras y busque en otra parte una solución.

5. Oraciones/cantos repetitivos

Esta técnica es la mejor para aquellos que tienen períodos de atención relativamente cortos, tanto que tienen problemas para concentrarse en su respiración.

Para esta técnica, se recita una breve oración, o incluso una o dos frases de una oración mientras se centra en la respiración. Este método puede ser más atractivo para usted si es religioso o si es una persona particularmente espiritual.

Si no eres religioso, o no te suscribes a ninguna religión, puedes hacerlo sustituyendo las oraciones/cantos por afirmaciones positivas o líneas de tu poema favorito.

Los expertos en psicología aconsejan no elegir sólo una técnica de la lista mencionada. Es mucho mejor probar tantas como sea posible y luego ceñirse a la/s que le parezca/n efectiva/s. También se recomienda que practique estas técnicas durante al menos 20 minutos al día para obtener mejores resultados, aunque incluso un par de minutos de práctica puede ayudar. Sin embargo, cuanto más tiempo y con más frecuencia practique estas técnicas, mayores serán los beneficios y la reducción del estrés.

Capítulo 4. La ansiedad y sus causas

Para tratar su ansiedad, necesita saber de dónde viene. Mucha gente describe que se siente al azar. Puede parecer así porque el inicio puede parecer que ha surgido de la nada. Pensar demasiado causa y contribuye a la ansiedad. Tienen una relación en la que ambos se alimentan el uno del otro. Si tienes ansiedad, tienes una predisposición a pensar demasiado, mientras que pensar demasiado aumentará tus niveles de ansiedad.

Hay una razón por la que las personas que sufren de un trastorno de ansiedad son especialmente propensas a pensar demasiado. Esto se debe a que su mente se ha entrenado para pensar en los peores escenarios. Por ejemplo, podrían estar conduciendo, y si sienten los baches que a veces ocurren cuando estás en la carretera, y su mente va a la idea de que han chocado con algo. Permítanme asegurarles algo. No pensarían que pueden haber golpeado algo o alguien. El impacto sería como ningún otro. No todo se puede prevenir porque las cosas suceden a veces, pero mientras estés mirando la carretera que tienes delante y no tengas ninguna sustancia química en tu sistema que pueda impedir tu función cognitiva, es poco probable que vayas a tener un accidente grave.

La mayoría de las veces, no es al azar cuando una persona desarrolla ansiedad. A veces viene como una reacción retardada de algún tipo. Es posible que no sientas los efectos de la misma mientras estás pasando por una situación estresante porque tu mente está enfocada principalmente en superar la situación. Después del hecho, pasas por los efectos psicológicos de tu situación porque tienes tiempo para pensar en ello. Esto es algo común que le sucede a la gente durante las situaciones estresantes. Llenamos nuestros sentimientos sobre ello porque queremos enfocarnos en pensar de manera pragmática y en conseguir un lugar mejor.

Se ha descubierto que hay ciertas sustancias químicas en nuestro cerebro que pueden causar trastornos del estado de ánimo y emocionales cuando no están en forma. Sin embargo, también tiende a haber un componente ambiental. Hay cosas que pueden sucederle a una persona que la hacen más propensa a tener dificultades para manejar el estrés. Ahí es donde la ansiedad se convierte en un trastorno. A cierto nivel, es natural. Cuando pasa ese punto y se convierte en un obstáculo en la vida de una persona, se ha convertido en un trastorno.

Así es esencialmente como funciona. Tienes una tarea que debe ser entregada en dos semanas. Un nivel saludable de ansiedad te hará pensar: "Bien, necesito hacer tanto trabajo en esta cantidad de tiempo". Si quiero cumplir con el plazo y hacer un buen trabajo, no puedo esperar hasta el último minuto. Necesito hacer todo este trabajo todos los días para alcanzar mis objetivos". Cuando llega la mitad del día, y aún no lo has hecho, empiezas a sentirte un poco incómodo y te recuerdas a ti mismo que tienes que ponerte en marcha. Es como si una persona dentro de ti te diera un empujón para que empieces con tus responsabilidades porque quiere verte triunfar. Cuando un trastorno de ansiedad se hace cargo, te invade el miedo cuando ves los requisitos y la fecha límite. Podrías pensar, "no hay manera de que pueda manejar todo esto". ¿Cómo voy a conseguir tanto material en tan poco tiempo?" Cada vez que empiezas a trabajar en ello, la página en blanco te intimida, y decides que prefieres pasar tu tiempo haciendo algo que no te cause tanto estrés. Sólo pensar en trabajar en ello hace que tu ritmo cardíaco aumente. Te dices a ti mismo, "No puedo manejar esto hoy, voy a

trabajar en ello mañana cuando esté más fuerte".
Entonces llega el mañana, y usas la misma excusa para
aplazarlo.

Cualquier cantidad de cosas puede causar un trastorno
de ansiedad. Todo el mundo tiene momentos en sus
vidas en los que su ansiedad está en un nivel elevado.
Los grandes acontecimientos de la vida, como las
enfermedades en la familia o la pérdida de una relación,
vienen con el estrés de forma natural. Incluso cosas
buenas como conseguir un nuevo trabajo pueden
causar ansiedad.

Una de las mayores razones por las que los finales y los
nuevos comienzos causan ansiedad es porque entonces
la pregunta se convierte en "¿Qué viene después?" La
gente tiene un miedo natural a lo desconocido.
Pensando en el nuevo trabajo, puede estar confundido
porque no sabe por qué no está saltando de alegría.
Este puede ser tu primer trabajo después de la escuela,
o puede ser una mejora importante de tu último
trabajo. Las condiciones de trabajo son mejores, la
paga es más alta, y tus beneficios son mayores. Sin
embargo, no sabes exactamente cómo va a ser este
trabajo. Puede que hayas leído lo que se espera de ti en
tu nuevo puesto, pero eso no es lo mismo que estar en

el trabajo y pasar por los trámites. Aún no has conocido a tus compañeros de trabajo, y sólo has conocido a tu jefe muy brevemente. Puede que hayas tenido que mudarte para este trabajo, lo que significa que estás en un entorno completamente nuevo. Estás en un nuevo vecindario con gente que nunca has conocido antes, y tendrás que encontrar dónde está todo. Esperas no perderte en tu primer día de trabajo. ¿Es cada vez más comprensible que estés nervioso por empezar un nuevo trabajo?

A veces los trastornos de ansiedad nacen de un trauma. Cuando piensas en un trauma, probablemente piensas en horribles asaltos y desastres naturales. Mientras que estos definitivamente serían una fuente de ansiedad, no escribas que tus experiencias no son suficientes para ser un trauma. Si tuvieras un padre que tuviera un temperamento corto y gritara a menudo, y estas rabietas no necesitaran mucho para provocarlas, es fácil ver dónde te dejaría eso con la ansiedad. No estarías seguro de tus interacciones sociales. Interpretarías todo lo que la gente hace que parece fuera de lugar como una señal de que están a punto de enojarse porque has estado expuesto a tanta ira.

Pensar en el pasado puede provocar ansiedad. Puede influir en tu futuro. Digamos que te fue mal en tu examen más reciente. Si pasas todo el tiempo dándote la lata con ello, en realidad estarás disminuyendo tu motivación para hacerlo mejor la próxima vez en lugar de aumentarla. Cada vez que intentes estudiar para el próximo examen, tu mente volverá al último grado, lo que te distraerá de aprender nueva información. Tu moral estará baja, y eso disminuirá tu confianza en ti mismo. La gente que no se siente bien consigo misma no se esforzará al máximo en lo que hace porque no siente que le vaya a ir bien de todas formas.

No hay forma de deshacer el pasado. Tanto si la puntuación de tu examen fue mala porque no estudiaste tanto como debías, o estudiaste el material equivocado o no dormiste lo suficiente, o cualquier otra cosa que pudiera haber contribuido a la nota de fracaso, no puedes volver atrás en el tiempo y estudiar adecuadamente para tu examen anterior. Eso está hecho. Reconocer lo que hiciste mal en el pasado debe ser una ayuda para hacerlo mejor en el futuro, no un instrumento para castigarte.

El hecho de no poder cambiar el pasado puede ser desalentador, pero trate de pensar en ello de una manera diferente. Si pudiéramos retroceder en el tiempo y cambiar lo que hemos hecho, lo cual no podemos, nunca seríamos capaces de comenzar un nuevo comienzo porque estaríamos tan consumidos en arreglar lo que ya ha sucedido. Entonces, ¿cuál sería el punto de mejorar como persona? No tendrías que hacerlo porque podrías volver atrás en el tiempo y actuar de forma diferente, lo que podría cambiar el futuro en formas que no esperarías ni querrías.

El estado permanente del pasado levanta una carga para todos los que nos pone. Lo único que debe preocuparnos es el presente y cómo afectará al futuro. Digamos que fallaste ese examen porque pasaste demasiado tiempo jugando a los videojuegos y muy poco tiempo estudiando para ello. Ya sabes lo que salió mal. Usa los errores del pasado sólo de esa manera. Úsalos para averiguar cómo obtuviste el resultado indeseado y así evitar que obtengas uno similar más adelante. Esto no significa que tengas un problema serio con los juegos o que tengas que dejarlos por completo. Significa que necesitas encontrar una forma de incorporarlo a tu vida para que no impida otros aspectos de la misma. Programe el tiempo que va a encajar en su día que está reservado para los juegos y no deje que pase de largo. Asegúrate de que has hecho todo lo que necesitas hacer antes de empezar a hacer las cosas que quieres hacer.

Haz una lista para ti mismo sobre las tareas que debes completar antes del final del día. Cuando averigües qué material será en tu próximo examen, empieza a reservar unas horas al día para estudiar. Si tienes deberes, hazlos antes de entrar en tus cuentas de juego. Puede ser tentador empezar a disfrutar de tus hobbies cuando llegues a casa, pero hay algunos problemas con esto. Si acabas haciendo los deberes o cualquier otra cosa que necesites hacer, probablemente acabarás posponiéndolos hasta casi medianoche. Una vez que la hayas hecho, probablemente sea temprano por la mañana, y luego te llevará un poco más de tiempo dormirte. Te despertarás a la mañana siguiente sintiéndote cansado y atontado, y el trabajo que hiciste anoche lo habrás hecho con la mente cansada. Otra posibilidad es que sea casi medianoche y decidas que estás demasiado cansado para hacerlo esta noche, y por lo tanto lo dejes para mañana por la mañana. Esto hace que pases la mañana siguiente completando tu tarea de forma borrosa, y eso si tienes suficiente tiempo para hacerlo y no tienes que entregar un papel que tiene objetivos que no se cumplen.

De hecho, tendrás más tiempo para disfrutar de tus aficiones y te divertirás más haciéndolas si haces lo que tienes que hacer primero. Si tienes que hacer algunos deberes mientras juegas, la experiencia será muy estresante porque siempre tienes la idea en la cabeza: "¿Cuándo voy a dejar el juego y a hacer los deberes? Lo haré justo después de este partido. No, sólo voy a hacer una más, y luego me pondré a ello. Bien, tengo 4 horas para hacerlo, tengo mucho tiempo. Todavía tengo tres horas. Jugaré un poco más. ¡Oh no! ¡Sólo me queda media hora! ¿A dónde se fue el tiempo? ¡Tengo que empezar ahora! Por favor, déjame terminar a tiempo."

El propio estrés de la situación hará que te quedes en tu juego y no hagas los deberes. Piensas, "es demasiado estresante pensar en hacer esa tarea, y esto me relaja, así que voy a seguir haciéndola". Sin embargo, no estás realmente relajado. No puedes estarlo porque tienes un pensamiento que se cierne sobre ti y te regaña en el fondo de tu mente. El estrés se acumula en el fondo porque sabes que ninguna cantidad de no hacer nada va a hacer que esa tarea desaparezca. De hecho, cuanto más tiempo pasa, más real se vuelve porque sabes que no puedes posponerlo por mucho tiempo.

Mantener un horario y cumplirlo te quitará un gran peso de encima. También te dará una sensación de logro. Al marcar las cosas de su lista de tareas porque las ha completado, le hará sentirse más seguro. Cuando la lista se haya completado, te sentirás bien contigo mismo cuando te vayas a la cama porque sabrás que has hecho todo lo que necesitas hacer.

Los adultos jóvenes suelen sentir mucha ansiedad debido a las expectativas sociales. La forma en que está la sociedad ahora; se te ve como un niño que necesita pedir permiso para hacer cualquier cosa hasta que cumplas 18 años. En este punto, se te ve como un adulto a los ojos de la ley, y ahora se espera que descubras lo que vas a hacer con tu vida. Has necesitado ir a tu profesor para obtener un pase para el baño, y ahora estás siendo bombardeado con preguntas sobre lo que vas a hacer en el camino de una carrera. Te vas a la universidad, donde descubres que necesitas ocuparte, y también eres el único responsable de asegurarte de que todas tus tareas se hagan a tiempo y de que sepas todo lo que tendrás que hacer en un futuro próximo. Ese no ha sido el caso en el pasado.

Esto es abrumador. Sin embargo, al menos durante tus años de universidad, hay un parecido con tu antigua vida. Después es cuando muchas personas se sienten perdidas.

Hay un problema creciente después de la graduación universitaria en el que la gente pasa por un período de no saber qué hacer. Luchan por encontrar un trabajo relacionado con el campo en el que se graduaron, o cualquier otro trabajo. Esto inspira la depresión, así como la ansiedad. De hecho, es por eso que se ha ganado el nombre de "la depresión posgraduación". Los graduados se sienten deprimidos porque no tienen nada que hacer y como resultado de la culpa que sienten por no haberse "lanzado" todavía. También es un momento de gran temor. Se preguntan si alguna vez serán capaces de comenzar su vida. Puede que sientas la presión de tus padres para empezar tu carrera porque están observando tu situación usando su propia memoria de cuando tenían tu edad, sin darse cuenta de que la economía y la sociedad han cambiado desde entonces, y es mucho más difícil para una persona empezar su vida ahora.

Primero, duérmete a una hora razonable y levántate temprano en la mañana. Cuando estés nervioso por tu futuro, puedes encontrarte con el hábito de dormirte a una hora muy tardía y luego dormir hasta alguna hora de la tarde. Esta es una táctica de evasión porque entonces puedes decir, "Bueno, es demasiado tarde para ir a buscar trabajo ahora, el día casi ha terminado." No puedes evitar tu vida. Sucederá con o sin ti en el asiento del conductor. Establece un cierto número de solicitudes de empleo por día. Eventualmente, alguien dirá que sí.

Además, piense en explorar carreras alternativas. Por ejemplo, si eres excelente en la escritura, o simplemente tienes interés en ella, tal vez quieras considerar la escritura independiente. Podrías elegir complementar tus ingresos con ello, y para algunas personas, es su carrera a tiempo completo. Puede parecer imposible empezar, pero una vez que consigues el primer cliente, ya tienes un pie dentro. Entonces encontrarás a tu segundo cliente. La mayoría de las empresas necesitan un escritor. Puedes ser un blogger, un escritor técnico, un escritor de ficción, cualquier cosa que se te ocurra; hay un nicho para ello en el negocio de la escritura.

Mientras buscas tu carrera, no te castigues por el lugar en el que estás comparado con los demás. Estás dónde estás, y eso está bien. Antes de empezar, usa el tiempo que tienes entre medias para autodescubrirte. Una vez que entres en la fuerza de trabajo, será algo consistente, así que usa este tiempo intermedio para mejorarte a ti mismo. Averigua quién eres, y no sólo en términos de encontrar tu carrera. De hecho, cuando hayas hecho alguna auto-reflexión, puede que sea más fácil encontrar lo que quieres hacer con tu vida. Siéntete libre de probar algunas carreras antes de decidirte por una. Piense detenidamente si esto es algo que podría verse haciendo a largo plazo. No se castigue por lo que no ha hecho. Eso no te llevará a ninguna parte. Celebre lo que ha hecho, y sepa que va a hacer más en el futuro.

Mantener el tiempo perdido en tu contra no tiene sentido y sólo hará que pierdas más tiempo. Es un camino a ninguna parte. Hacerte sufrir por un error no lo deshace. Trátese como si fuera un amigo cercano que ha cometido un error. No le recordarías una y otra vez las cosas que hizo mal, y si alguien tratara de hacerlo, probablemente lo defenderías y le dirías a esa persona que no puede hablar con tu amigo de esa manera. Sé un amigo para ti mismo. Defiéndete y dile a esa voz en tu mente que no puede insultarte, y te lo tomas con calma. Hazle saber que te decidirás por ti mismo y que tu autoestima no tendrá nada que ver con los comentarios desagradables que haga.

Lo más importante que hay que recordar es que una vez que hayas mejorado tu comportamiento, debes felicitarte por ello en lugar de centrarte en los errores del pasado. No sólo no deshará esos errores, sino que se impedirá a sí mismo alcanzar éxitos futuros. Absuélvase del pasado para poder concentrarse en el futuro.

Capítulo 5. Lidiar con la postergación

¿Existe realmente una conexión entre el exceso de pensamiento y la postergación? Por qué sí, la hay, y en realidad es más dañina que tu postergación habitual. La postergación como resultado de pensar demasiado se llama "parálisis del análisis", esto significa que tienes tantos pensamientos corriendo a través de tu mente a la vez que no puedes elegir sólo uno. Tienes que escoger cada opción que tienes hasta que estés satisfecho, lo cual raramente es el caso (los que piensan demasiado nunca llegan a una elección concluyente).

Esta es una de las facetas más feas del exceso de pensamiento que realmente no recibe demasiada atención, principalmente porque la gente no equipara la postergación con el exceso de pensamiento y la ansiedad; creen que la postergación es sólo un subproducto de la pereza, y lamentablemente no es así.

¿Qué es el análisis de parálisis?

Antes de profundizar en este hábito dañino, considere la antigua fábula sobre el Zorro y el Gato. ¡El Zorro y el Gato hablaban en el bosque, el Zorro dijo «Nunca podré ser atrapado por los cazadores porque tengo cientos de ideas de cómo puedo escapar fácilmente de ellos!" El gato, que está un poco celoso, dijo: "Tienes tanta suerte que sólo conozco una forma de escapar a la captura". Al oír esto, el zorro se regodeó y regañó al gato por no ser tan listo como él.

De repente, en la distancia, la pareja escuchó el berreo de un grupo de sabuesos de caza. El gato se trepó rápidamente al árbol más alto que encontró para poder escapar. El zorro, en cambio, se quedó allí contemplando cuál de sus cien ideas de escape debía utilizar hoy; se quedó tan absorto en sus pensamientos que los sabuesos de los cazadores lo alcanzaron y capturaron al desconcertado zorro. Originalmente, la lección de la historia es no dejar que su arrogancia nuble su juicio, pero también puede ser usada como un ejemplo clásico de los peligros de la Parálisis de Análisis.

La parálisis del análisis, como su nombre indica, es el estado de sobreanálisis (o de sobrepensamiento) de las situaciones, tanto que no se toma una decisión o acción clara, lo que lleva a la parálisis del resultado.

Cuando una persona está experimentando parálisis de análisis, se absorbe tanto en el análisis y evaluación de los datos necesarios para tomar una decisión correcta, como el zorro de la fábula, que nunca llegará a la elección correcta, simplemente se quedará atascado allí con la boca abierta e incapaz de tomar ninguna forma de acción.

La parálisis del análisis ocurre cuando el temor de lo que podría salir mal es más fuerte que el potencial real de éxito. Este desequilibrio da lugar a la supresión de la toma de decisiones de una persona en un esfuerzo por preservar y probar otras opciones existentes. Este exceso de opciones disponibles puede hacer que la situación sea más abrumadora de lo que realmente es y, por lo tanto, causar una especie de parálisis mental, que hace que la persona sea incapaz de decidirse.

La parálisis de análisis se convierte en un problema aún mayor cuando se necesita urgentemente una decisión en situaciones críticas, pero la persona encargada no puede decidir con la suficiente rapidez, lo que da lugar a un problema aún mayor que antes si sólo se tomara una decisión rápida.

Análisis casual Parálisis

Hay diferentes formas de parálisis de análisis, pero hay dos distinciones principales: la parálisis de análisis personal y la parálisis de análisis conversacional.

Análisis personal

La parálisis del análisis casual puede ocurrir cuando se está tratando de tomar una decisión personal, pero no se puede porque se está sobreanalizando la situación a la que se está enfrentando actualmente. Esto sucede cuando el gran volumen de información que tienes que procesar comienza a ser demasiado dominante. Te sientes tan agobiado por la cantidad de cosas en tu cabeza que no puedes, por tu vida, tomar una decisión racional.

Hay algunos casos en los que la persona que toma las decisiones podría analizar con éxito todos los resultados posibles, e incluso escribirlos todos, pero luego inexplicablemente los tiraría a la basura porque no le gustaba cómo los analizaba. No sólo es un desperdicio de energía mental y física, sino que también es una pérdida de tiempo, lo cual no es una buena imagen cuando esto a menudo te sucede mientras estás en el trabajo.

Análisis conversacional

La parálisis de análisis puede ocurrir en cualquier momento durante cualquier conversación típica, sin embargo, la parálisis de análisis conversacional suele ocurrir cuando se discuten temas intelectuales y pesados. Durante el curso de una discusión intelectual, una persona puede sobreanalizar un tema específico, hasta el punto de perder el tema original de la conversación. Esto suele ocurrir porque los temas intelectuales complejos están interconectados con otras cuestiones intelectuales, y la búsqueda de estas otras ramas de la discusión de alguna manera tiene sentido lógico para los participantes. Sin embargo, en realidad esto no tiene mucho sentido porque confunde la conversación, y el tema de discusión se aleja mucho del original.

Cómo el exceso de pensamiento te está frenando

Retrasar la acción mientras se analiza en exceso la información disponible no ayuda a la productividad. Una encuesta de 2010 realizada por LexisNexis (una compañía de investigación legal) mostró que los empleados pasan más de la mitad de su día de trabajo sólo recibiendo y analizando información en lugar de hacer su trabajo. Sin embargo, eso es sólo lo que la gente ve en la superficie. Estudios en el campo de la psicología y la neurociencia mostraron que la parálisis de análisis tiene un mayor efecto en ti que sólo perder el tiempo.

Aquí están algunas de las formas en que la parálisis del análisis te está reteniendo:

1. La parálisis del análisis afecta negativamente a su desempeño en tareas mentalmente exigentes

Su memoria de trabajo le permite concentrarse sólo en la información que necesita para terminar sus tareas. Desafortunadamente, sólo tienes un suministro limitado de memoria de trabajo por día. Una vez que has agotado toda la memoria de trabajo disponible no puedes introducir más información en tu cerebro.

La investigación demostró que las situaciones de alto estrés pueden llevar a una disminución del rendimiento cuando se realizan tareas mentalmente exigentes, estas son las tareas en las que se depende mucho de la memoria de trabajo para terminar. Además, si hay más participantes que quieren rendir bien en una tarea, más se resiente su rendimiento. Los investigadores creen que la ansiedad y el estrés producen pensamientos de distracción que ocupan gran parte de su memoria de trabajo que podría haber utilizado para trabajar en sus tareas.

2. La parálisis de análisis se come a su voluntad

Un estudio publicado por la Academia Nacional de Ciencias examinó las decisiones tomadas por los jueces de la Junta de Libertad Condicional en un período de 10 meses. El estudio encontró que los jueces tenían más probabilidades de conceder la libertad condicional a los prisioneros temprano en la mañana e inmediatamente después de almorzar. También era más probable que negaran la libertad condicional cuando los casos se colocaban en su escritorio después de una sesión de trabajo particularmente larga. Este fenómeno se mantuvo durante el curso del estudio, un lapso que abarcó más de 1.100 casos, independientemente de la gravedad del delito, lo que lo convierte en algo más que una simple coincidencia.

¿Qué podría haber explicado estos sorprendentes e inquietantes descubrimientos? Los jueces sufrieron lo que los profesionales de la psicología llaman "fatiga de decisión". Cada decisión que la gente toma durante el día, como, por ejemplo, si apretar el botón de "snooze" o no, comer pescado o pollo en el almuerzo, y otras veces en que hay que elegir entre varias opciones, todas ellas provienen de una reserva limitada de fuerza de voluntad. Imagina tu fuerza de voluntad como si fuera un músculo; cuanto más la uses, más rápido la desgastarás, lo que te dejará mentalmente exhausto y abrumado. Por eso las personas que hacen dieta no tienen problemas para seguir su programa cuando todavía es temprano en el día y todavía están relativamente llenos después de comer un desayuno y un almuerzo saludables, pero es más probable que sucumban a la tentación de comer comida chatarra durante el descanso del café de la tarde. Durante el curso del día la cantidad de fuerza de voluntad que les quedará disminuirá, pero se repondrá por la mañana, sólo para que repitan el ciclo de nuevo.

Las cosas que haces sin pensar, como cepillarte los dientes o vestirte, requieren poca o ninguna fuerza de voluntad para que puedas pasar el día de alguna manera. Sin embargo, cuando se tarda demasiado en tomar una decisión, se agota rápidamente la poca fuerza de voluntad que le queda en la mente.

Cuando se está quedando sin fuerza de voluntad, su capacidad para tomar decisiones sabias se ve afectada. Esto significa que es más probable que elijas comer alimentos no saludables, dejar de hacer ejercicio y posponer el trabajo en tus proyectos secundarios. En resumen, cuando se analizan en exceso las decisiones, las decisiones más difíciles son aún más difíciles a largo plazo.

3. Cuando piensas demasiado te vuelves menos feliz

En 1956, Herman Simon, un economista, acuñó por primera vez el término "satisfactor", que es básicamente un estilo de toma de decisiones que da más peso a las soluciones que son sólo adecuadas en lugar de las que son óptimas. Los satisfactores son personas que sólo decidirán una vez que la mayoría, si no todos, de sus criterios se cumplan. Por ejemplo, sólo se quedarán en un hotel si el restaurante de la casa sirve el tipo de pasta que él quiere.

En comparación, los "maximizadores" quieren tomar la mejor decisión posible. Incluso cuando ven algo que cumple con sus criterios, no tomarán una decisión hasta que lo hayan comparado con otras posibles opciones. Desperdiciarán mucho de su tiempo y energía para encontrar opciones, independientemente de si tienen poca o ninguna importancia para la tarea real.

Independientemente de si eres un satisfactor o un maximizador, las investigaciones sugieren que tu comportamiento tiene un enorme impacto negativo en tu bienestar. Estos estudios encontraron que:

Los maximizadores están significativamente menos satisfechos, son felices, optimistas, tienen menos autoestima y tienen significativamente más remordimientos en comparación con los satisfactores.

Los maximizadores son más propensos a sufrir el arrepentimiento del comprador. No pueden evitar compararse con los demás y participar en el pensamiento contrafactual. Por ejemplo, inmediatamente se sienten tristes cuando compran un artículo, casi inmediatamente piensan en lo que hubiera pasado si hubieran elegido el otro artículo en su lugar. En lugar de felicidad cuando hacen una compra, sólo sienten arrepentimiento.

Los maximizadores son más propensos a caer en un estado de ánimo negativo una vez que notan que no se desempeñan tan bien como sus pares. Es como los celos profesionales, pero también se extiende a la vida personal de la persona. Constantemente se comparan con personas que conocen, y si no se perciben a sí mismos como mejores que sus pares, será razón suficiente para preocuparse en la parálisis del análisis.

Aunque el análisis de todas las opciones disponibles conduce al mejor resultado absoluto, la maximización sólo conducirá a más estrés, ansiedad, arrepentimiento, y aun así no estará completamente feliz cuando tome una decisión.

Bien, ahora sabes que pensar demasiado en cualquier decisión puede y sólo puede hacerte ansioso, mata tu productividad y en general baja tu autoestima, pero ¿qué puedes hacer para detenerlo?

Aquí hay algunas maneras simples que pueden ayudarle a dejar de analizar en exceso sus opciones, evitar quedar atrapado por la parálisis del análisis y comenzar a hacer todas las cosas que se supone que debe hacer:

Estructurar tu día de acuerdo a las decisiones que son más importantes para ti

No todas las decisiones son iguales. Por ejemplo, decidir sobre una marca de pasta de dientes para comprar más tarde es menos digno de su limitada oferta de fuerza de voluntad en comparación con, digamos, decidir sobre si aceptar o no los términos de sus proveedores.

Su capacidad para tomar decisiones de calidad se deteriora con cada elección que hace a lo largo del día, sin importar si dichas decisiones son intrascendentes o no. Por eso necesitas programar tu día para que puedas minimizar el número de decisiones que necesitas tomar cada día. Por ejemplo, divide tu carga de trabajo de manera que abordes tus tareas más importantes a primera hora de la mañana, mientras que aún te quede mucha fuerza de voluntad. Además, automatiza tus pequeñas e insignificantes decisiones para que no tengas que gastar energía en ellas. Tomemos como ejemplo a Mark Zuckerberg, como jefe de la mayor red de medios sociales del mundo, no puede molestarse en gastar energía decidiendo qué ropa necesita llevar, así que lleva la misma combinación de camiseta gris y vaqueros todos los días de la semana, a no ser que la ocasión le obligue a cambiarse.

Ni siquiera intente tomar grandes decisiones al final de la tarde, sólo agotará la cantidad de fuerza de voluntad que le quede en el cuerpo, y sólo le hará sentirse abrumado, malhumorado y arrepentido. Si te encuentras atrapado en una espiral descendente de parálisis por exceso de pensamiento y análisis, sal de ella haciendo algo que no esté relacionado con tu tarea anterior; o mejor aún, déjalo por hoy. Vuelve a la tarea a la mañana siguiente cuando tus reservas de fuerza de voluntad estén llenas.

Limite la cantidad de información que consume

Hay una cantidad virtualmente ilimitada de información que puedes consultar para cualquier tipo de problema que enfrentes. Por ejemplo, cuando estás escribiendo un informe de un libro, tienes un sinfín de sitios web a los que puedes ir para obtener toda la información importante que necesitas saber. Es por eso que necesitas enfocar tu investigación con una sólida intención.

Sherlock Holmes, el mayor detective literario que ha adornado las páginas de un libro, es infame por consumir sólo información que podría usar en su profesión. Por ejemplo, Holmes tiene poco o ningún conocimiento sobre Literatura, Filosofía y Política, que son temas que no considera importantes para su profesión. Sin embargo, sus habilidades en Botánica, Anatomía Humana y Geología son variables, él sólo tomó varios chismes de los temas para ayudarle en sus casos; por ejemplo, con respecto a la botánica, Holmes tiene una extensa biblioteca de conocimientos sobre plantas venenosas, especialmente las de la familia de la belladona.

Holmes sabe que la capacidad de su cerebro es muy limitada, así que sólo almacena la información que necesita. Sea como Sherlock Holmes, para su día de trabajo, sólo consuma la información que necesitará para terminar sus tareas; apague su smartphone, no abra sus cuentas de medios sociales, y no abra su correo electrónico personal, haga esas cosas al final del día.

Fija una fecha límite para que te hagas responsable...

De acuerdo con la Ley de Parkinson, su trabajo se expandirá para llenar el espacio de tiempo que le ha reservado. Por ejemplo, date una hora para terminar una tarea, y verás que te llevará exactamente una hora. Dese 15 minutos para terminar la misma tarea y podría terminarla en 15 minutos. Lo mismo ocurre con la toma de decisiones; si fijas un plazo para una decisión, te obligará a tomar una decisión eficiente dentro de ese tiempo establecido.

Sin embargo, engañarse a sí mismo para comprometerse con un plazo autoimpuesto puede ser bastante difícil, pero debe encontrar la manera de hacerse responsable. Una forma de hacerlo es hacer que su fecha límite sea lo más pública posible. Dile a un compañero de trabajo que te has dado una fecha límite para terminar tus tareas, o mejor aún, anuncia en tus cuentas de medios sociales que te estás dando una fecha límite. Cuantas más personas sepan de tu fecha límite, mejor.

4. Cíñete a tu objetivo principal

Identificar tu objetivo principal y luego mantenerlo puede ayudarte a superar tu tendencia a caer en la parálisis del análisis.

Todas sus decisiones deben centrarse en su objetivo principal. Si una decisión no afecta a su objetivo principal de ninguna manera, déjela para más tarde. Sólo piensa en las cosas que necesitas hacer para acercarte a tu objetivo principal. Al conocer tu objetivo principal, te ayuda a tomar decisiones rápidas y decisivas porque puedes evaluar inmediatamente las opciones disponibles.

Habla con alguien más para que puedas escapar de tu propia mente

Las personas están naturalmente predispuestas a sobreestimar lo infelices que serán cuando algo malo les suceda, y también a sobreestimar lo felices que serán cuando las cosas vayan a su favor. Los estudios han demostrado que los completos desconocidos son en realidad mejores para predecir su propia satisfacción o insatisfacción por una decisión que usted mismo tomó.

Siempre que te veas empantanado por una decisión que tienes que tomar, el simple hecho de pedirle a otra persona su opinión sobre el tema te ayudará a tomar una decisión con la que realmente estés de acuerdo, en comparación con tomar la decisión tú mismo sin la aportación de otras personas.

La próxima vez que te encuentres pensando demasiado en un tema importante, pregunta a un compañero de trabajo si puedes molestarlo por un minuto o algo así, o puedes consultar con tu supervisor, o si tienes uno, tu mentor. Cuando presentas tus deliberaciones a otras personas, en realidad te estás forzando a sintetizar la información de una manera más clara y concisa (en comparación con lo confusa y desordenada que era la información cuando todavía estaba en tu mente).

Además, el hecho de que otra persona valide sus ideas, especialmente si se trata de una persona a la que usted respeta, puede ser lo que usted necesita para superar sus dudas y ganar la suficiente confianza como para tomar más medidas.

Capítulo 6. Cómo dejar de pensar demasiado

El exceso de pensamiento es una de las condiciones mentales más comunes en el mundo, y desafortunadamente, es también una de las más debilitantes. Podrías pensar que no es gran cosa, todo el mundo se pierde en sus pensamientos a veces, ¿verdad? Pero cuando el exceso de pensamiento te golpea, te golpea fuerte. Esto es especialmente preocupante si tienes problemas con la ansiedad.

Ahora, si tienes alguna experiencia previa en caer en el casi interminable pozo espiral de la desesperación que es el exceso de pensamiento, entonces sabes lo horrible que es. Pensar demasiado puede impedirte disfrutar de las cosas que te gustaban hacer, como ir a fiestas, pasear por el parque, o simplemente reunirte con amigos. Pensar demasiado también puede afectar negativamente tu desempeño en el trabajo, te hace perder la motivación, te hace postergar tus tareas, y así arruinar cualquier posibilidad de progresar en el trabajo que puedas tener. Pensar demasiado también puede arruinar tus relaciones personales; nadie quiere estar cerca de una persona que siempre se está quejando, que está de mal humor y que tiene un temperamento tan corto, por lo que tendrás muy pocos amigos y es posible que no se queden mucho más tiempo.

Si el cuadro pintado arriba le parece familiar, entonces probablemente ya es consciente de que hay algo malo en usted, y que ya está desesperado por encontrar una manera de arreglarse y empezar a vivir de nuevo. Sin embargo, parece que todo lo que haces parece inútil, es como si siempre hubiera un obstáculo insuperable delante de ti. Pensar demasiado no sólo te deja agotado mentalmente, sino que también te hace sentir agotado físicamente. Es como tener un vampiro de la energía enganchado permanentemente en tu cuello, y se alimenta constantemente de la poca energía mental y física que tienes.

Sin embargo, no debe perder la esperanza todavía; hay muchas maneras que puede utilizar para superar su problema de exceso de pensamiento crónico. Pero primero, hay que empezar por comprender el problema central; hay que saber qué es el exceso de pensamiento, y a partir de ahí, se puede empezar a buscar las soluciones más viables.

Definido como un desorden de pensamiento excesivo:

Todo el mundo es absorbido por la madriguera del conejo de los pensamientos obsesivos a veces, y cuando sucede de vez en cuando, entonces está bien. Sin embargo, cuando el exceso de pensamiento comienza a consumir tu vida, es cuando se convierte en un problema mental crónico.

No todo el mundo es propenso a pensar demasiado, pero algunos son más propensos a sufrirlo. Por ejemplo, las personas con un historial de lucha contra la ansiedad casi siempre están lidiando con el exceso de pensamiento y sus consecuencias a diario. De hecho, pensar demasiado es uno de los factores desencadenantes de la ansiedad en la mayoría de las personas.

Incluso si no tiene ningún historial de problemas de salud mental, si se considera como una especie de "solucionador de problemas", entonces es propenso a pensar demasiado. Lo que usted considera como su activo más valioso, que es su mente analítica, puede convertirse en su peor enemigo cuando su pensamiento excesivo se desencadena. Los pensadores analíticos son los que son fácilmente arrastrados a un bucle sin fin de pensamientos improductivos e irracionales.

Además, si se encuentra en un punto bajo de su vida en el que tiene niveles inusualmente altos de incertidumbre, puede desencadenar su trastorno de sobrepensamiento. Si acabas de experimentar una pérdida importante en tu vida, como si te acaban de despedir de tu trabajo, tu pareja te ha dejado o alguien cercano a ti ha muerto recientemente, estos acontecimientos pueden provocar que tu mente entre en una espiral incontrolable de pensamientos improductivos.

¿Cuáles son los síntomas del exceso de pensamiento?

Ahora que tienes una idea de lo que es pensar demasiado, lo siguiente que necesitas saber son los signos de pensar demasiado para estar atento. Conocer los síntomas te informará de que tal vez debas ser cauteloso con el estado de tu salud mental, tal vez consideres buscar ayuda profesional. De alguna manera puedes medir cuán profundo es el exceso de pensamiento identificando los síntomas que ya se han manifestado; si encuentras que tienes signos de ser un pensador excesivo crónico, entonces probablemente deberías considerar obtener ayuda profesional lo antes posible.

¿Tienes problemas para dormir?:

No puedes apagar tus pensamientos, incluso cuando lo intentas; de hecho, tus pensamientos empiezan a correr aún más rápido cuando intentas detenerlos. Todas estas preocupaciones y dudas que se arremolinan en tu cabeza te agitan y te impiden descansar lo suficiente.

Los que piensan demasiado conocen la sensación de no dormir lo suficiente, casi demasiado bien en realidad. El insomnio ocurre porque no tienes control sobre tu cerebro; no puedes apagar la cadena de pensamientos negativos que pasan por tu mente a cien millas por hora. Todas las cosas que te preocupaban a lo largo del día vuelven justo cuando te vas a dormir, y te sientes tan conectado que no puedes dormirte.

Si tiene dificultades para calmar su mente por sí mismo, puede probar diferentes actividades de relajación antes de irse a la cama. Hay muchas cosas que pueden ayudarte a calmar tu mente lo suficiente como para permitirte dormir un poco, como la meditación, escribir en un diario, colorear libros para adultos, dibujar, pintar, leer un libro, o incluso simplemente tener una conversación agradable con un ser querido. Haz cualquier cosa que pueda desviar tu atención de los pensamientos negativos el tiempo suficiente para que puedas dormir un poco.

¿Empiezas a automedicarte?

Numerosas investigaciones médicas han descubierto que la mayoría de las personas que sufren de un trastorno de sobrepensamiento han recurrido al uso de drogas recreativas, al alcohol, a comer en exceso o a otras formas de controlar sus emociones de alguna manera. Los que piensan demasiado sienten la necesidad de depender de estímulos externos porque creen que sus recursos internos (también conocidos como sus mentes) ya están comprometidos.

Nunca es una buena idea recurrir a tratar de tratarse a sí mismo por pensar demasiado. Lo más probable es que después siga pensando demasiado, y que tenga que enfrentarse a un problema diferente provocado por su automedicación.

Siempre estás cansado.:

Si te sientes constantemente cansado, tienes que tomar medidas. La fatiga es la forma en que el cuerpo te dice que lo escuches porque algo malo está pasando; no debes ignorarlo y simplemente saltar de una actividad a la siguiente.

Por lo general, la fatiga es causada por el sobreesfuerzo físico y la falta de descanso. Sin embargo, pensar demasiado también puede causar fatiga y agotamiento. Su mente es como un músculo; si la carga constantemente con docenas de pensamientos pesados y negativos todo el tiempo, y ni siquiera le da tiempo para recuperarse, se agotará y le causará el agotamiento.

Cuando los humanos aún vivían de la tierra, la gente no tenía tantas cosas de las que preocuparse, lo que significa que no tienen tantas cosas en las que pensar también. En el mundo moderno de hoy, la gente lleva una vida complicada que requiere que logren muchas cosas en poco tiempo. En este mundo acelerado, la necesidad de reducir la velocidad de vez en cuando es crucial para el bienestar de la gente. Así que, cuando te sientas fatigado, o mejor aún, si te sientes cerca, reduce la velocidad y averigua lo que tu cuerpo y tu mente necesitan antes de hacer cualquier otra cosa.

¿Tienen tendencia a sobreanalizar todo?:
Los que piensan demasiado tienen un gran problema, y es que siempre sienten que necesitan tener el control de todo. Planean cada aspecto de sus vidas, algunos incluso llegan a planear hasta el más mínimo detalle.

Sienten que hacer esto es la única manera de sentirse seguros, pero siempre parece que les sale el tiro por la culata porque en realidad es imposible planificar todo lo que va a suceder en sus vidas.

Aun así, siguen planeando su futuro, y se ponen ansiosos cuando ocurren cosas inesperadas, y siempre parecen ser cosas inesperadas que ocurren todo el tiempo. Los pensadores odian lidiar con cosas sobre las que no tienen control, y temen lo desconocido. Cuando los problemas inesperados salen a la superficie, hacen que se sienten y reflexionen sobre las cosas en lugar de tomar medidas inmediatas para resolver el problema inesperado. Numerosos estudios médicos han demostrado que el exceso de pensamiento lleva a tomar decisiones erróneas, por lo que el exceso de pensamiento no ayuda realmente.

Cuando te sorprendas a ti mismo justo antes de empezar a pensar de nuevo, intenta hacer lo mejor para traer tus pensamientos al presente respirando profundamente y pensando en pensamientos felices. Antes de que tus pensamientos negativos se desborden dentro de tu cabeza, reconócelos y piensa en lo que pueden hacer por ti en el presente; hacer esto solo suele ser suficiente para deshacerte de estos pensamientos negativos porque descubrirás que su único propósito es causarte estrés.

¿Tienes miedo al fracaso?

Te crees un perfeccionista, y a menudo piensas en lo mal que te sentirías si fracasaras de alguna manera. Este miedo al fracaso puede ser tan fuerte que te paraliza, y te impide aprender de tus errores anteriores, que a menudo te llevan a repetirlos.

Los que piensan demasiado a menudo no pueden aceptar el fracaso, y harán todo lo posible para evitarlo. Irónicamente, piensan que la única manera de no fallar es no hacer nada en absoluto. Creen erróneamente que, para evitar el fracaso, no deben ponerse en posición de fracasar en absoluto, lo que también significa que no están en posición de tener éxito también.

Si esto suena como tú, recuerda que eres más que sólo tus fracasos; nadie podría recordar la última vez que la cagaste, eres sólo tú. Además, ten en cuenta que es imposible escapar del fracaso, y que nunca debes evitarlo en absoluto. Porque el fracaso te permite crecer y evolucionar.

¿Tienes miedo de lo que depara el futuro?:

En lugar de estar emocionado por las cosas que aún no ha experimentado, su ansiedad y el miedo a lo que podría salir mal le paralizan para no hacer nada.

Si tienes miedo de lo que el futuro pueda traer, entonces tu miedo te mantiene atrapado dentro de tu propia mente. Las investigaciones demuestran que este miedo al futuro puede ser tan paralizante que las personas que lo sufren tienden a recurrir a las drogas y/o al alcohol sólo para poder desentenderse de los pensamientos negativos que están clamando dentro de sus cabezas.

¿No confías en tu propio juicio?:

No puedes evitar cuestionar todas tus decisiones, tu ropa, lo que vas a comer, o incluso lo que vas a hacer durante el día. Siempre tienes miedo de tomar las decisiones equivocadas, y a menudo dependes de otros para asegurarte que tomaste la decisión correcta.

Los sobrepensadores, como se mencionó anteriormente, son *perfeccionistas* naturales; constantemente analizan, re-analizan y re-analizan de nuevo, todas las situaciones en las que se encuentran. No quieren ponerse en una posición en la que haya siquiera una ligera posibilidad de fracaso. No quieren tomar la decisión equivocada, por lo que se toman su dulce tiempo para decidirse; no confían en sí mismos lo suficiente como para tomar la decisión correcta para nada. Ellos son

tan fuera de su intuición que todas sus decisiones provienen de su cerebro, y esto no siempre es correcto ya que hay veces en las que sólo necesitas seguir tu instinto visceral. Además, si tu cerebro está atascado por docenas de pensamientos negativos, es difícil tomar una decisión clara.

¿Sufres de frecuentes dolores de cabeza por tensión?

Las cefaleas tensionales se sienten como si hubiera una banda de goma gruesa enrollada alrededor de las sienes, y se van apretando poco a poco. Además del dolor de cabeza, también puede sentir un dolor agudo o rigidez en el cuello. Si sufre de cefaleas tensionales crónicas, es una señal de que está trabajando demasiado y necesita descansar.

Y por descanso, también incluye el descanso de las actividades mentales, como el exceso de pensamiento. Los dolores de cabeza son una señal de que tu cuerpo necesita un descanso. Esto incluye tu mente. Además, es posible que no lo notes, pero cuando piensas demasiado, en realidad estás pensando en las mismas cosas una y otra vez.

Los sobrepensadores suelen tener patrones de pensamiento negativos que se enlazan entre sí. Para luchar contra esto, necesitas romper este bucle reforzando los pensamientos positivos. Respira profundamente y enfoca tu mente cada vez que tu pecho suba y baje, estar atento al presente te ayudará a deshacerte de los pensamientos negativos y del dolor de cabeza por tensión que los acompañan.

Rigidez en las articulaciones y dolor muscular:

Puede sonar descabellado, pero pensar demasiado puede afectar a todo el cuerpo, no sólo a la mente. Y una vez que tu cuerpo físico se vea afectado por tus pensamientos negativos fuera de control, no pasará mucho tiempo hasta que tu bienestar emocional también se vea afectado. Hasta que no abordes y te deshagas de los problemas subyacentes que te hacen pensar demasiado, los dolores del cuerpo continuarán. Pensar demasiado puede comenzar en tu mente, pero sus efectos se extenderán gradualmente a las otras partes de tu cuerpo.

¿No puedes quedarte en el presente?:

Cuando pienses demasiado, te será difícil vivir en el momento presente y disfrutar de tu vida tal y como ocurre. Pensar demasiado hace que pierdas la atención en las cosas que suceden a tu alrededor, estás tan absorto en pensar en tus problemas una y otra vez que parece que estás atrapado dentro de tu propia mente. Si tu mente se atasca con una tonelada de pensamientos innecesarios, te estás alejando del presente, y esto puede afectar y afectará negativamente a tus relaciones personales.

Necesitas abrirte al mundo que te rodea; no te dejes envolver demasiado en pensamientos negativos. Los únicos pensamientos que debes permitir dentro de tu mente son los que sirven a tu bienestar, ignora y olvida los que te hacen caer. Hay tanta belleza en la vida, y las oportunidades de tener experiencias increíbles son ilimitadas. Sin embargo, sólo puedes apreciarlas si logras desconectar el parloteo ocioso de tu mente y empiezas a escuchar a tu corazón en su lugar.

Diferentes causas de sobrepensar:

Una vez más, no hay nada malo en pensar en tus problemas para poder pensar en una solución para ellos, se vuelve preocupante cuando tienes el mal hábito de retorcer las narraciones en tu cabeza hasta que puedas ver cada ángulo y lado de ella. Pensar demasiado no es productivo, ya que sólo te hace pensar en tus problemas; no buscas una solución para ellos, y sólo te haces sentir miserable.

Para encontrar una forma efectiva de romper con el hábito de pensar en exceso, tienes que averiguar qué lo causó en primer lugar. A continuación, se presentan algunas de las razones más comunes por las que la gente tiende a pensar demasiado en sus problemas en lugar de encontrar una solución para ellos.

1. Falta de confianza en sí mismo

Si no tienes confianza en ti mismo, tiendes a dudar de cada pequeña cosa que dices o haces. Cuando dudas, aunque sea un poco, sobre las cosas que quieres hacer, estás dejando que la incertidumbre y el miedo se cuelen en tu mente, y será muy difícil sacarlos de ahí. Nunca puedes saber realmente qué decisiones te tomarán; incluso si planeaste cada pequeño detalle, el resultado no será exactamente lo que esperabas (podría ser mejor o peor de lo que planeaste). Por eso debes aprender a arriesgarte y no torturarte cuando no has obtenido los resultados que deseabas.

2. Cuando te preocupas demasiado

Es natural que te preocupes cuando te encuentras con cosas y eventos nuevos y desconocidos. Sin embargo, si te preocupas demasiado y no puedes ni siquiera imaginar un resultado positivo, entonces te hará pensar demasiado. Esto es problemático porque la preocupación atrae aún más problemas, a veces los crea de la nada, lo que hace que pensar demasiado sea aún más profundo. En lugar de pensar en cómo podrían salir mal las cosas, es mejor pensar en cosas más positivas, como, por ejemplo, en lo bien que te sentirías si un determinado resultado se volviera a tu favor.

3. Cuando pienses demasiado en protegerte a ti mismo

Algunas personas creen que pueden protegerse de los problemas cuando piensan demasiado, pero la verdad es que pensar demasiado es una trampa que mata su progreso. Pensar demasiado y no hacer nada para cambiar el statu quo puede parecer bueno, pero sofocar tu progreso nunca es algo bueno en absoluto. Además, cuando piensas demasiado, no te quedas en la misma posición. En realidad, estás deshaciendo cualquier cantidad de progreso que hayas logrado hasta ahora.

4. No puedes "apagar" tu mente

Muchos pensadores se volvieron así porque no pueden apartar sus mentes de sus problemas por más que lo intenten. Las personas que son sensibles al estrés viven como si estuvieran constantemente en tensión; de alguna manera han olvidado cómo relajarse y cambiar su cadena de pensamientos. El exceso de pensamiento ocurre cuando una persona se estresa demasiado en un solo problema, y no puede desviar su atención de él.

5. Siempre estás persiguiendo la perfección

Ser un perfeccionista no es necesariamente algo bueno. De hecho, se podría argumentar que ser un perfeccionista no es bueno en absoluto. La mayoría de las personas que luchan con el perfeccionismo están constantemente ansiosos. A menudo se despiertan en medio de la noche, pensando en las cosas que podrían haber hecho mejor. Ser un perfeccionista causa un exceso de pensamiento porque siempre estás tratando de superarte a ti mismo.

Capítulo 8. Cómo dejar de pensar demasiado con la Meditación Mindfulness

Estás familiarizado con la meditación, pero lo que vas a aprender aquí es cómo superar tus pensamientos excesivos es la meditación de la atención. Esta forma de meditación nos anima a permanecer conscientes y presentes centrándonos en nada más que en la conciencia de tu entorno existente. La meditación es en realidad una técnica antigua que entrena el cerebro para fortalecer sus poderes de concentración. Algo así como un entrenamiento de gimnasio, excepto por tu cerebro esta vez. Algunos *arqueólogos* creen que la meditación podría tener una antigüedad de 5.000 años, aunque los científicos sólo empezaron a estudiar los cerebros de aquellos que meditaban regularmente hace aproximadamente 60 años. Aun así, el hecho de que esta práctica haya logrado sobrevivir tanto tiempo significa que hay algo extraordinariamente poderoso y efectivo en ella.

Lo que los investigadores han descubierto a lo largo de sus estudios es que la meditación cambia la estructura de tu cerebro, haciéndolo mucho más poderoso. Se sabe que los meditadores de largo plazo han desarrollado habilidades casi sobrehumanas. Por ejemplo, su capacidad de mantener la calma incluso en las situaciones más estresantes que tendrían los no meditadores al final de su ingenio. También podían producir ideas más creativas y originales, por no mencionar la mejor memoria que tenían en comparación con los que no meditaban regularmente. Un *experimento* reveló cómo los monjes meditadores eran capaces de secar sábanas heladas y húmedas a bajas temperaturas elevando y controlando *su temperatura corporal* a través del poder de la meditación.

Para entender la forma en que la meditación nos afecta, necesitamos mirar los recientes descubrimientos sobre cómo funciona el cerebro humano. Sólo en los últimos 10 años, lo que los científicos han llegado a descubrir es que cada vez que aprendemos, sentimos o pensamos algo, una nueva conexión aparece en el cerebro. Lo que más repetimos, como los hábitos, hacen que estas conexiones aumenten en fuerza. Simultáneamente, las conexiones que no usamos se debilitan con el tiempo hasta que finalmente desaparecen por completo de la mente. Por eso los hábitos son automáticos y requieren muy poco pensamiento para llevarlos a cabo. Por ejemplo, la forma en que practicas el cepillado de dientes cada día hace que la tarea parezca mucho más fácil que intentar algo nuevo como ir a correr por la mañana antes del trabajo. Sin embargo, si dejara de cepillarse los dientes durante unos días, sorprendentemente, empezaría a parecer que requiere un esfuerzo ligeramente mayor que antes.

Algunos *investigadores* han llegado a sugerir que no elegimos nuestro comportamiento. En su lugar, nuestro comportamiento está programado por las conexiones neuronales del cerebro. El cerebro es como un iceberg, donde la punta del iceberg (la parte más pequeña) representa la mente consciente. Aquí están todas las cosas que *podemos elegir conscientemente*, como comer o resolver un complicado problema de matemáticas. La parte más grande del iceberg, la que está sumergida y oculta bajo la superficie, es donde reside la mente inconsciente. La mente inconsciente es la responsable de la mayoría de nuestros comportamientos, ya que también es donde residen nuestros pensamientos y sentimientos. La mente inconsciente, por lo tanto, causa comportamientos cómo reaccionar a los argumentos de la misma manera o reaccionar emocionalmente más de una vez, incluso cuando sabemos que es el enfoque equivocado a tomar.

Esto sucede porque no somos conscientes de que estamos siendo controlados por la parte inconsciente del cerebro.

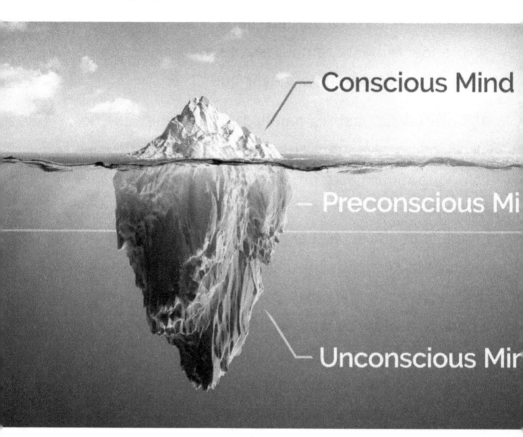

Las conexiones neuronales en la parte inconsciente de la mente son fuertes. Esto lleva a muchas personas a creer que "no pueden cambiar" la forma en que reaccionan o actúan en ciertas situaciones. Esta respuesta automática es lo que llamamos *personalidad*, pero en realidad, son la mente inconsciente, las emociones y los hábitos que seguimos repitiendo porque es todo lo que sabemos hacer.

Las investigaciones han descubierto que la meditación de atención plena puede mejorar la concentración, la memoria y reducir la fijación en las emociones negativas y disminuir las reacciones impulsivas y emocionales. *Esto puede ser cambiado*. Todo lo que sabemos y aprendemos siempre puede ser desarrollado a través de la práctica. Puedes entrenar tu cerebro para hacer lo que quieras. Para iniciar los cambios que quieres ver, necesitas primero cambiar tu cerebro creando nuevas conexiones y luego practicando estas conexiones hasta que sean lo suficientemente fuertes para ser automáticas. Las cosas que te resultan difíciles de hacer ahora se volverán más fáciles con la práctica.

Piensa en cómo te esforzaste por hacer ejercicio al principio. O incluso cuando eras un niño aprendiendo a leer. Esos primeros intentos se sintieron como una inmensa lucha en ese entonces, pero como seguiste practicando y persistiendo, el comportamiento se volvió automático. Ahora, puedes pasar rápidamente una frase con facilidad, y no hace falta mucha persuasión para ponerse la ropa de entrenamiento y empezar a sudar.

Aquí es donde entra en juego la práctica de la meditación. Nos ayuda a cambiar la estructura del cerebro creando nuevas conexiones en varias áreas del cerebro.

Pensar demasiado lleva a un estrés continuo, y el estrés continuo lleva a problemas de salud mental. La depresión y la ansiedad son ejemplos muy claros de lo que puede sucederle si continúa dejando que sus pensamientos sean los que controlen. La meditación disminuye el tamaño de la amígdala, el centro del miedo del cerebro, y de dónde vienen todos nuestros pensamientos y emociones negativas. La meditación también disminuye los niveles de cortisol, lo que lleva a una mayor capacidad para lidiar con situaciones estresantes mucho mejor. Durante la meditación, aprenderás la habilidad crucial de aprender a observar *tus pensamientos y emociones* sin reaccionar a ellos, lo cual es necesario para la atención. Con la meditación frecuente, existe la posibilidad de cambiar significativamente tu comportamiento y personalidad.

Cómo meditar

La meditación es una de las formas más simples de entrenamiento mental que puedes hacer. Todo lo que se necesita es que te concentres en tu respiración mientras permites que tus pensamientos y sentimientos vayan y vengan. Con la práctica continua, tus habilidades de concentración, conciencia y atención aumentan significativamente. Parece fácil (y lo será con la práctica), pero al principio, puede que descubra que concentrarse en la respiración no es tan fácil como parece después de todo.

¿Dónde debo meditar?

Técnicamente, la meditación puede hacerse en cualquier lugar que se desee, ya que es un ejercicio para la mente. Puedes meditar sentado en una silla o en el suelo, incluso cuando estás acostado en la cama. Sin embargo, se recomienda evitar la meditación en la cama siempre que sea posible, ya que podría quedarse dormido y tener dificultades para concentrarse.

Sentarse en el suelo con la espalda y la columna vertebral rectas se considera la forma óptima y beneficiosa de meditar. Esta posición le mantiene bien despierto y le permite sentarse durante un período prolongado mientras lleva a cabo su sesión de concentración.

¿Qué hago cuando medito?

¿Qué debes hacer con tu cuerpo mientras meditas? Bueno, lo primero que hay que hacer es ser consciente de la posición de los pies. Muchos meditadores regulares y experimentados aconsejarán que sus pies estén uno encima del otro. Sin embargo, esto no siempre es necesario, y no tienes que hacerlo si no te sientes cómodo. Los principiantes pueden preferir tener los pies entrecruzados uno encima del otro, algo así como un pretzel mientras los brazos descansan sobre los muslos. Las manos deben estar apoyadas una encima de la otra y formar la forma de una taza. Si quieres tocar tus pulgares juntos mientras haces esto, está perfectamente bien. Lo que importa es que tus brazos se sientan relajados mientras mantienes la espalda recta y la cabeza a nivel.

La cabeza no debe estar inclinada ni hacia arriba ni hacia abajo. Relájate y mira hacia adelante naturalmente. En cuanto a tus ojos, tienes la opción de meditar con ellos abiertos o cerrados, dependiendo de tu preferencia. La mayoría de los meditadores experimentados prefieren hacerlo con los ojos cerrados para una mayor concentración, pero de nuevo haz lo que te resulte cómodo y lo que te funcione. Si eliges meditar con los ojos abiertos, evita enfocarte en un objeto que esté delante de ti. En su lugar, intenta mirar a la distancia.

¿Cuánto tiempo necesito meditar?

Como principiante, querrás poner una alarma antes de empezar tu sesión de meditación. Cuando empiezas a meditar, el tiempo tiende a ser mucho más lento porque tu cuerpo y tu mente están tratando de acostumbrarse a este nuevo hábito. Al poner una alarma, eliminas la necesidad constante de preguntarte cuánto tiempo te queda o cuánto tiempo llevas haciéndolo ya. Los principiantes pueden aspirar a poner unos 5 minutos en el reloj para empezar mientras se aclimatan a esta práctica. Una vez que la meditación se convierte en una práctica diaria y te acostumbras a sentarte en esta posición, puedes aumentar gradualmente tus bloques de tiempo, meditando todo el tiempo que quieras. El tiempo recomendado para la meditación es aproximadamente de 10 a 20 minutos al día.

¿Qué hago mientras medito?

Esta es la parte difícil. Hay varias formas de meditación que se pueden llevar a cabo. Ciertas formas de meditación te animan a centrarte en tu respiración (atención) y en la bondad amorosa, mientras que otras pueden implicar el canto de un mantra (afirmación). La meditación de la respiración mindfulness es una de las formas de meditación más comúnmente enseñadas, y dado que estás tratando de superar tu hábito de pensar demasiado, esta es la meditación con la que quieres empezar.

La meditación de la atención plena es fácil de aprender, y se considera tan perspicaz y poderosa como cualquier otra forma. Con esta forma de meditación, quieres empezar asegurándote de que estás respirando por la nariz. Una vez que hayas establecido un ritmo, enfoca *toda tu atención* en tu respiración y observa la forma en que el aire entra y sale de tu cuerpo. Presta atención al aire que entra y sale por tus fosas nasales; observa la forma en que tu respiración hace la transición de inhalar a exhalar. Incluso preste atención a las pequeñas pausas que ocurren entre el momento en que inhala y exhala. No juzgue. No critique. Sólo mantén la calma y observa; es todo lo que necesitas hacer.

Rápidamente notará que los pensamientos empiezan a aparecer en su mente y tratará de distraerlo de esta simple tarea en la que se supone que debe concentrarse. Si notas que tu mente está vagando, no te preocupes. Simplemente lleve sus pensamientos hacia su respiración y concéntrese en ella. Así es como se empieza a entrenar el músculo de la mente. Muchos principiantes a menudo encuentran muy difícil concentrarse en nada más que en la respiración, así que no estás solo si sientes que esto es una lucha. Si esto sucede, no seas demasiado duro contigo mismo o demasiado crítico, esto es perfectamente normal. Todo lo que necesitas hacer es volver a centrar tu atención en tu respiración siempre que la mente divague.

¿Con qué frecuencia debo hacerlo?

Lo ideal sería que se intentara hacer de la meditación consciente un hábito diario. Cuanto más lo hagas, más fácil te resultará concentrarte en nada más que en tu respiración mientras tu músculo de atención se fortalece. Meditar cada día te da la mejor oportunidad de ver los beneficios rápidamente. Puedes hacerlo una vez al día, dos veces al día, o incluso tres veces al día si tienes tiempo. Puedes hacerlo tantas veces al día como quieras, pero lo que más importa es que lo hagas TODOS LOS DÍAS.

¿Qué tan pronto puedo esperar ver los beneficios?

Bueno, tienes que hacerlo todos los días para ver los beneficios mucho antes. El tiempo que pases meditando diariamente también jugará un factor en la rapidez con que empieces a experimentar los beneficios. En última instancia, es difícil fijar un marco de tiempo exacto ya que la experiencia va a diferir de una persona a otra. Algunas personas son menos conscientes en general debido al estilo de vida que llevan y a la forma en que crecieron, por lo que es posible que necesiten más tiempo antes de empezar a ver un cambio real. Lo mejor que puedes hacer es seguir practicando y no comparar tu viaje con el de otra persona. No importa cuán rápido o lento empiecen a ocurrir los beneficios. Lo que importa es que, si sigues practicando, sucederán.

Por qué necesita practicar la atención plena

Pensar demasiado es una distracción, y esa es sólo una de las muchas razones por las que se necesita estar atento para vivir el presente. Por muy dolorosas que sean algunas de las partes difíciles de la vida, así es la *vida*, y necesitamos abrazarla de todo corazón, tanto lo bueno como lo malo. La atención nos enseña que aún es posible encontrar la felicidad incluso en los momentos más oscuros. No siempre es posible ser consciente el 100% del tiempo, pero las siguientes razones te recordarán por qué necesitas hacer un esfuerzo para vivir consciente cada día:

- Pasamos más tiempo del que deberíamos cuando seguimos viviendo en nuestras cabezas preocupándonos por el pasado o el futuro. Nos preocupamos por lo que no podemos cambiar y sobre lo que no tenemos control. La atención es la única herramienta que es lo suficientemente efectiva para que rompas el hábito poco a poco. El pasado sólo existe en nuestra memoria, y el futuro está por venir. Esto significa que la única *vida real* que tiene lugar es tu presente. El aquí y el ahora.

- Es imposible dejarse llevar cuando se sabe exactamente lo que sucede con los pensamientos, las emociones y los sentimientos. En lugar de dejarte llevar por tus pensamientos excesivos esta vez, la atención te convertirá en un observador. Piensa en tus pensamientos como un río que fluye. No puedes detener a la fuerza el flujo del agua. Cuando entres en el río, serás arrastrado, así que, en vez de eso, lo mejor que puedes hacer es practicar sentado junto al río, viendo cómo fluye. Al convertirse en un observador, tus pensamientos y emociones aflojan el control que tienen sobre ti. Ya no te sientes impotente, y como si te estuvieras ahogando. Te vuelves calmado, tranquilo, y esta vez eres tú el que tiene el control. Como el río que fluye, los pensamientos no se quedarán para siempre a menos que elijas dejarlos. No intentas luchar contra tus pensamientos, juzgarlos o cambiarlos a la fuerza. Sólo estás ahí para observar.

- *Construye relaciones más fuertes* - Entre los pensamientos preocupantes más comunes que tienden a plagar la mente de un pensador es la ansiedad que sienten sobre lo que otros piensan de ellos. Es difícil formar grandes conexiones cuando no estás *escuchando* realmente lo que se te dice. Claro, estás ahí delante del orador, pero cuando estás preocupado por tus pensamientos, no estás escuchando activamente, y te pierdes información importante que podría haber sido utilizada para fortalecer tu relación. La atención puede cambiar el tipo de conversaciones que tienes con la gente al animarte a prestar atención y a estar abierto a sus necesidades. Dejar todo lo demás a un lado durante esos pocos minutos y prestar atención a lo que se te dice. Una vez que empiezas a escuchar activamente, las conversaciones parecen más ricas y significativas. La otra persona comienza a involucrarse más cuando se da cuenta de que tú también le estás prestando atención activamente. Les hace sentir que lo que tienen que decir importa, y eso, a su vez, los anima a ser más abiertos y a compartir más de su vida contigo.

- *Te hace consciente de que tienes todo lo que necesitas para ser feliz - Seguimos* buscando la felicidad y luego nos frustramos cuando parece difícil de alcanzar. A través de la atención, sin embargo, te das cuenta de que ya tienes todo lo que necesitas para ser feliz. No puedes verlo porque estás demasiado distraído con tus pensamientos. Cuando empiezas a vivir en el presente, te das cuenta de que no hay necesidad de aferrarte a las cosas que te hacen infeliz. No necesitas aferrarte a las quejas sobre tu pasado o preocuparte por tu futuro. Tus ojos comienzan a abrirse al hecho de que quizás muchos de los problemas que tienes hoy se crearon en tu mente, y si los analizas poco a poco, puede que no haya mucho de qué preocuparse después de todo. Sentirse agradecido por la vida que tienes es tu mayor defensa contra la negatividad. No necesitas depender de cosas externas o materiales para ser feliz cuando te sientes bien por dentro.

- *Te recuerda que debes cuidarte a ti mismo* - No puedes cuidar a nadie más si no te cuidas a ti mismo primero. El autocuidado puede ser una dura lección para los que piensan demasiado, ya que tienden a cruzar sus límites. Su pensamiento excesivo puede llevarlos a presionar demasiado hasta que finalmente se queman. La atención te hace más consciente de tus fortalezas y tus límites. Es menos probable que te esfuerces demasiado cuando eres consciente de cómo se sienten tu mente y tu cuerpo. Empiezas a respetar más tu cuerpo, y poco a poco pierdes el impulso de mantener las expectativas de la sociedad si eso te hace infeliz. Está perfectamente bien hacer lo que te hace feliz sin tener que sentirte culpable por ello.

Capítulo 9. Cómo dejar de pensar en exceso con el autodiscurso positivo

La práctica de la autodiscusión positiva es una de las formas más rápidas de salir de tu cabeza. Es la práctica de ser optimista y ver lo positivo en casi cualquier situación. Cuando no puedes ver lo positivo, al menos eres lo suficientemente consciente de la situación como para que no te envíe a una espiral de pensamiento negativo. Eres capaz de ver la situación tal como es.

A estas alturas, espero que haya podido identificar algunas de las formas en que está saboteando su salud mental y que ahora esté más consciente de cuándo ocurre. Ahora no será fácil cambiar el discurso negativo, pero con algo de diligencia y consistencia, es posible. Requiere práctica, tiempo y algo de gracia hacia ti mismo cuando te equivocas.

¿Qué es el autodiscurso?

El autocontrol es la charla interna que se produce entre tú y tu cerebro. Es esta charla interna que puede ser tanto positiva como negativa, puede ser angustiante, y esto puede depender en gran medida de tu personalidad. Si eres optimista, entonces tu diálogo interno será más positivo, lo que ofrece algunos beneficios para la salud y una mejor calidad de vida. Lo contrario puede decirse de ser un pesimista, pero con diligencia y trabajo duro, el diálogo interno negativo puede cambiar sin importar su personalidad y educación.

El diálogo positivo con uno mismo tiene muchos beneficios, incluyendo la mejora de su bienestar general, el aumento de su bienestar físico y menos estrés. Otros beneficios para la salud pueden incluir:

• Aumento de la vitalidad

• Mayor satisfacción de la vida

• Mejor sistema inmunológico

• *Alivio del* dolor

Nadie sabe realmente por qué esto funciona y por qué las personas con una visión más positiva de la vida experimentan estos beneficios, pero las investigaciones sugieren que estas personas pueden tener las habilidades mentales para ser capaces de hacer frente a situaciones estresantes, lo que puede reducir los efectos nocivos del estrés.

Louise Hay, la conocida autora de "Cura tu vida y sana tu cuerpo", lo puso en práctica cuando le diagnosticaron cáncer cervical en 1978. Consideró opciones alternativas a la cirugía y en su lugar decidió crear su propio programa intensivo. Usando afirmaciones, visualizaciones, limpieza nutricional, y psicoterapia ella pudo curar su cáncer completamente en seis meses.

Cómo practicar

Llevará tiempo captar la autocomplacencia negativa porque está tan arraigada en ti y se siente tan normal, pero puede cambiarse con la práctica. Una vez que empieces a reconocer tus patrones, entonces podrás empezar a abordar las mejores prácticas para ti.

Ejemplos:

Negativo: Fallé, ¿por qué lo intenté? Ahora estoy avergonzado.

Positivo: ¡Vaya! Estoy orgulloso de mí mismo por probar algo nuevo. Eso fue valiente de mi parte.

Negativo: Nunca he hecho esto antes, por qué lo intenté, seré tan malo en ello.

Positivo: Esta es una gran oportunidad para mí de aprender algo nuevo.

Hablar en el espejo - esto puede parecer tonto y sentirse incómodo al principio, pero habla contigo mismo en el espejo. Mírate a los ojos y habla. Dígase a sí mismo que se ama a sí mismo, que ama su cabello, sus ojos, lo que sea, sólo empiece a hablar positivamente de sí mismo.

Afirmaciones - escribe afirmaciones en todas partes de tu casa. En la puerta al salir de la casa, en los cajones de la cocina, en el espejo del baño, en el coche, etc. Ver y leer estas afirmaciones tendrá un efecto positivo en su cerebro y aumentará su serotonina, que es el químico "feliz" en nuestro cerebro porque promueve la felicidad y el bienestar.

Gente positiva - mira con quién te rodeas, lo creas o no nos alimentamos de la energía de aquellos con los que nos asociamos, así que encuentra gente que te inspire, te levante y te anime.

Agradecimiento

Dadas todas las ideas enumeradas a lo largo de este libro, sentí que esta merece su propio título ya que creo firmemente que es una de las formas más rápidas de convertir la autodeclaración negativa en positiva y prepararse para el éxito.

La gratitud se define como un sentido general de sentirse agradecido. Una emoción que expresa apreciación por lo que tienes.

Puede existir tanto como un sentimiento temporal como una parte inherente de lo que eres. La gratitud requiere un reconocimiento de algo que ocurrió que fue positivo y fuera de ti. Mientras que la mayor parte de este libro se ha dirigido a la curación de nuestro mundo interior y eso es crucial para sortear el exceso de pensamiento y nuestra ansiedad y depresión, también necesitamos aceptar que algunas fuerzas externas son necesarias para hacernos felices, pero tenemos que mostrar gratitud por estas cosas.

Generalmente se ve como un sentimiento espontáneo, pero también se está convirtiendo cada vez más en una práctica para contar sus bendiciones y estar agradecido por lo que está delante y alrededor de usted. Debido a esto, puedes cultivar deliberadamente un sentimiento de gratitud.

La gratitud importa

Es posible sentirse agradecido por los seres queridos, los colegas y la vida en general. Esta emoción genera una atmósfera de positividad. Encontrará que, con el tiempo, este sentimiento aumenta la felicidad y promueve la salud física y emocional, incluso cuando se lucha con obstáculos de salud mental. Puede que sea un poco más difícil buscar la gratitud en estos casos, pero con práctica, tiempo y consistencia encontrarás que es tu salida para los tiempos difíciles.

La práctica de la gratitud frena las palabras y los pensamientos negativos, y aleja la atención interna de la ira, el resentimiento y los celos, lo que reduce al mínimo la posibilidad de que la situación se convierta en una espiral descendente de rumores o catástrofes.

La gratitud comienza con la constatación de la bondad de su vida, que puede ser dura en este mundo de materialismo y constante comparación con otros a través de los medios de comunicación social, pero es posible.

Puede empezar poco a poco, simplemente notando algo en tu día por lo que estás agradecido, tal vez es tu trabajo porque eso te permite poner comida en tu mesa, o en tu casa y tener un techo sobre tu cabeza para que estés seguro, tal vez es tu coche porque la aglomeración en el tránsito te hace sentir incómodo. Sea lo que sea, da las gracias, agradece y demuéstralo, reconócelo. Llevo un diario y escribo en él cada mañana y/o tarde al menos de tres a cinco cosas por las que estoy agradecido ese día. Ha hecho una gran diferencia en la forma en que veo las cosas y reacciono a ellas.

La gratitud es, con mucho, la mayor herramienta que
me ha ayudado en algunos días oscuros. Ser capaz
de estar agradecido por cualquier situación
sabiendo que es por mi bien más elevado ha
convertido la mayoría de mis charlas negativas y
mis pensamientos oscuros en positivos. Cuando me
encuentro volviendo a un estado de ánimo
negativo, todo lo que tengo que hacer es enumerar
rápidamente algunas cosas por las que estoy
agradecido y la negatividad desaparece.
No siempre fue así; tomó tiempo, práctica y
consistencia.

Ahora la verdadera magia de la gratitud que he
descubierto ocurre cuando eres capaz de empezar a
estar agradecido por la gente y los problemas en tu vida
que te desafían. Por ejemplo, acabas de pasar por una
horrible batalla de divorcio y custodia de tus hijos.
Detestas a tu ex por todo lo que te ha hecho pasar,
pero sin esta persona, no tendrías tus increíbles hijos.
Te das cuenta de que estás agradecida con él/ella por
darte tal regalo. Ahora, me doy cuenta de que esto
puede sonar un poco inverosímil y difícil de entender,
pero puedo hablar por experiencia que esto funciona.
Recientemente he pasado por esto mismo. Aunque no

soy fan de mi ex en absoluto, estoy extremadamente agradecida por el regalo de mi hijo que no estaría en este mundo sin mi ex. Lo creas o no, cambiar a esta forma de pensar ha hecho que los viajes de la corte y tan poco más fácil de tratar.

Si eso parece un poco difícil al principio, entonces prueba esto:

- ¿Quién te ha inspirado? ¿Por qué?

- *Lleve* un diario de gratitud - Escriba grandes y pequeñas alegrías de la vida diaria o intente identificar de tres a cinco cosas buenas que ocurrieron ese día.

- *Intenta imaginarte cómo sería* tu vida si no hubiera pasado nada positivo.

Capítulo 10. Desarrollando una mentalidad ganadora

Una actitud ganadora es algo que desarrollamos. Es el resultado del acondicionamiento adecuado. Las mismas personas que parecen tan uber-confiadas y entusiastas pueden llegar a ser justo lo contrario de lo que desarrollan una mentalidad negativa, y lo mismo ocurre a la inversa.

Si quieres salir de la trampa de los procesos de pensamiento negativos y desarrollar una mentalidad ganadora, tendrás que traer algunos cambios positivos en tu personalidad.

A continuación, se presentan algunos pequeños pero importantes cambios que debe hacer en su vida personal diaria y en su personalidad para desarrollar una mentalidad ganadora. Estos cambios no son muy significativos, pero pueden dejar un impacto muy profundo en su cerebro consciente y en la forma en que percibe los problemas. Esto es algo que importará mucho cuando se trate de tener una mentalidad ganadora.

Empieza el día con Positividad

Este es un punto que ya hemos discutido en capítulos anteriores, pero no se puede enfatizar lo suficiente. La forma en que empezamos el día tiene un impacto muy profundo en la forma en que terminará o al menos irá en su mayor parte.

Si te has levantado tarde y desde el principio te preocupa que el día vaya a ser malo, puedes estar seguro de que estás en lo cierto porque has marcado el tono del día. Por otro lado, si te despiertas sonriendo y dejas tu casa esperando que pasen cosas buenas, tendrás muchas sorpresas agradables en el día.

Esto no es magia. Cuando estás de buen humor, hasta las cosas más simples se ven bien. ¿Alguna vez has sentido cómo se siente el día cuando has recibido una noticia muy buena? El día que estás de mal humor, incluso el mejor de los climas no significa nada para ti.

Esto no termina aquí. Tu estado de ánimo afecta constantemente a tu psique. Está gritando fuerte y alto que todo va mal. Ya ha aceptado que el día ha ido mal, y va a terminar en una nota peor. Se necesitaría un milagro para levantar tal estado de ánimo.

Empieza tu día con una nota positiva, e intenta mantenerla en la medida de lo posible. Tendría un impacto positivo en tu mentalidad.

Enfoque en el diario Positivista - Encuentra al menos 4 cosas positivas del día

Al final del día, intenta diariamente encontrar al menos 4 cosas positivas sobre el día que acaba de llegar a su fin. Esto debe hacerse sin excepción.

Puede ser cualquier cosa que te haya gustado durante todo el día. Viste una flor, y se veía lo suficientemente hermosa como para levantar tu ánimo, menciónala. Conociste a un extraño que te sonrió genuinamente, eso puede ser algo para mencionar. Ayudaste a alguien de cualquier manera que te hiciera sentir comida; eso puede ser algo para mencionar. Puede ser cualquier cosa que te haya gustado, pero debe haber al menos 4 cosas que te hayan gustado del día.

Si quieres, puedes incluso escribir un diario en una lechería o decirlo en voz alta. Este simple acto puede ayudar a cambiar tu perspectiva sobre el mundo. Empiezas a buscar la positividad a tu alrededor.

Hacer algo positivo para los demás a diario

Este es un simple acto de bondad que puedes hacer. Puede ser un acto menor. No tiene que ser nada importante todos los días. Pero, debes hacer una cosa al menos cada día que marque alguna diferencia en la vida de una persona. Cuando hacemos un acto de bondad, no sólo tocamos la vida de los demás, sino que el acto desinteresado también toca un rincón de nuestro ser y levanta nuestro espíritu y humor.

Te llena de una sensación de felicidad y te sientes orgulloso de ti mismo, lo reconozcan o no los demás. Es un cambio que puede ayudar a infundir positividad en tu mente.

Vive el momento

Debes aprender a vivir en el presente. Debes dejar de reflexionar demasiado sobre el pasado. Vive cada experiencia como viene, y por favor deja de juzgar las cosas en base a tus experiencias pasadas. Esto te dará una nueva perspectiva. El cambio es una realidad y una verdad constante. La única cosa que es constante es el cambio. Cuando juzgamos las cosas en base a experiencias pasadas, nos estamos interponiendo en el camino de este cambio.

Apreciarse a sí mismo

Esto es importante. Debes aprender a apreciar las cualidades genuinas en ti mismo. Debes tratar de buscar los puntos fuertes de tu personalidad y trabajar en su desarrollo. Cuanto más te aprecies por tus cualidades, más fácil será romper el proceso de pensamiento negativo.

Apreciarse a sí mismo es importante si realmente quiere tener éxito en sus relaciones, en su trabajo y en su vida en general. Las personas que no son lo suficientemente buenas a sus propios ojos nunca pueden esperar ser lo suficientemente buenas para los demás. Si no te aprecias a ti mismo, seguirás sintiéndote estresado e insuficiente. Siempre habrá un problema con tus niveles de saciedad general.

Encuentra vías para mantenerte motivado

Mantenerse motivado es importante. Debes encontrar todas las formas que hay para permanecer inspirado y motivado. Desde películas hasta charlas de ted, lo que funcione para ti debe ser usado para obtener el empuje requerido. La motivación sigue dándote el impulso para seguir trabajando con la misma fuerza.

Trabaja en tu lenguaje corporal

Es importante que trabajes en tu lenguaje corporal. Desde tu ropa hasta la forma en que te comportas, todo en tu personalidad debe hablar de tu confianza y positividad. Debes recordar que tanto la positividad como la negatividad son contagiosas. Una persona positiva puede iluminar toda la habitación, mientras que una persona negativa puede hacer que la gente que la rodea se vuelva sombría. Debes elegir el tipo de persona que quieres ser.

Recuerda que es más importante para ti que para los demás. Tu atuendo, apariencia y conducta tienen un profundo impacto en el funcionamiento de tu mente.

Apreciar y estar agradecido más a menudo

Haz una regla general para apreciar a los demás, incluso para las cosas menores que te ayudan o te facilitan la vida. Es otro cambio positivo que puede ayudar mucho a tu mentalidad. Cuando dices cosas positivas sobre los demás, estás recordando a tu mente que piense de la misma manera. Cuando expresas tu gratitud por los demás, estás siendo más abierto, aceptando y reconociendo. Esto tiene un impacto muy profundo en tu mente consciente.

Busca la positividad incluso en situaciones difíciles.

Esto no es un pensamiento. No puedes perder toda la esperanza cuando las cosas empiezan a ir mal. Una gran parte de la mentalidad ganadora es mantener la compostura incluso en situaciones difíciles cuando otros están perdiendo la esperanza. Es un arte que necesita ser desarrollado.

Busca soluciones y no los problemas

Debes buscar los problemas y no las soluciones. Esta es una afirmación que escuchamos a menudo. Sin embargo, tan pronto como las cosas se salen de control, nuestra mente comienza a buscar rutas de escape o mejor aún, comienza a exagerar los problemas. No aportamos nada, al contrario, terminamos empeorando las cosas.

Todo esto sucede porque nuestra mente permanece enfocada en la intensidad del problema y no en la solución. Debes recordar que pensar en el problema y en la cantidad de daño que puede causar nunca puede resolverlo. Tendrás que empezar a pensar en la forma de resolverlo. Es un talento que tendrá que ser cultivado.

Conclusión

Felicitaciones por haber llegado al final del libro. Nunca es fácil admitir que tienes un problema de estrés. Es algo que todos experimentamos, y también puede ser algo que arruina nuestras vidas. Si no tienes cuidado, entonces empezarás a darte cuenta de que el estrés no es sólo algo que experimentas, sino que se convierte en parte de lo que eres. Cuanto más tiempo pases sin manejar el estrés, más difícil será manejar estos sentimientos cuando más lo necesites.

Recuerde que al principio todo es algo mental, pero si no se trata, puede convertirse en un problema físico bastante rápido. No dejes que el lado físico del estrés se apodere de tu cuerpo. ¡Tú eres el que tiene el control! El estrés no sólo le hará experimentar dolor en los hombros, la mandíbula y otras partes del cuerpo, sino que también aumentará su riesgo de sufrir problemas de salud más graves, como un derrame cerebral o un ataque al corazón.

Lo que te estresa no es algo que vaya a estresar a otros cada vez tampoco. Lo que te calma no calmará a otras personas. No te compares, porque siempre tendremos diferentes perspectivas sobre lo que es estresante, así como sobre cómo reaccionar a nuestras emociones positivas y negativas. A veces podrías desear ser esa persona relajada, pero recuerda que no todo el mundo está siempre tan tranquilo como parece. No hay nada malo en ti si te encuentras estresado en una situación en la que los demás están completamente bien. No importa lo que te estrese. Lo más importante es cómo reaccionas a este sentimiento.

Siempre compruébalo tú mismo y asegúrate de que haces lo mejor para calmarte desde la raíz. Desafía tus pensamientos y cuestiona tus creencias para ver dónde puede haber empezado el estrés. Sólo porque un pensamiento viaje por tu mente no significa que sea cierto. A veces, pensamos primero en lo que nos enseñaron a creer, y el segundo pensamiento que viene después puede ser lo más importante.

Manténgase al día con la investigación sobre el estrés y la ansiedad también. Siempre habrá nuevas formas de manejar el estrés. Dado que todavía tenemos que entender completamente nuestros cerebros, siempre habrá ciencia emergente sobre qué es lo que podría hacer que nuestros cerebros funcionen de la manera en que lo hacen.

Recuerda que todo es temporal. Todo va a estar bien al final. Tú eres el que está creando pensamientos estresantes en tu cabeza. A veces tendrás que sentarte con tu incomodidad y sentir el estrés. Se acabará. Los ataques de pánico se detendrán, y tus pensamientos estresantes se calmarán. Nada de lo que experimentes va a durar para siempre.

Otros dicen cosas que pueden estresarte, pero siempre tendrás opciones sobre cómo reaccionar a estos factores de estrés. No siempre serás capaz de evitar que otros te causen daño, y habrá mucha gente que siempre sabrá cómo meterse bajo tu piel. Aunque eres impotente en esto, tienes el control total de la forma en que eliges manejar estas situaciones. Busca las formas que te ayuden a aliviar tu estrés de la mejor manera posible.

No estás solo en el estrés que sientes. Aunque te sientas aislado, loco, demasiado emocional y muchos otros sentimientos negativos asociados con tu estrés, recuerda que es una emoción común. No te equivocas, no estás roto, no eres malo ni estás loco por las emociones que sientes.

Las cosas que ves en Internet siempre tienen la verdad detrás de ellas. No dejes que los medios sociales o los inflados artículos de noticias te causen más estrés del que ya tienes. Cuando veas una noticia particularmente molesta, siempre revisa las fuentes. Tómese un descanso de su teléfono y dese tiempo para estar tranquilo con sus pensamientos.

Puede que sientas que no te va bien, pero siempre habrá alguien por ahí que esté celoso o te admire. Todo el mundo piensa que lo está haciendo mal, pero la mayoría de las veces, lo estamos haciendo mucho mejor de lo que pensamos. Recuérdate de esto en los momentos en que te sientas más inadecuado que nada.

Los que son importantes para ti no te juzgarían por las cosas por las que eres duro contigo mismo. Los que más importan son las personas que te amarán incondicionalmente. Si alguien te hace sentir mal contigo mismo, causándote más estrés del que tenías al principio, recuerda que están sufriendo. La única razón por la que querrías derribar a alguien es porque esa es la forma en que ya podrías estar hablando contigo mismo. Otros pueden seguir juzgándonos, diciendo cosas groseras, y teniendo pensamientos negativos, pero eso no tiene por qué afectarnos. Conoces tu propio valor, tienes tus valores, y estás a cargo de tus emociones. Esto es lo que más importa.

Siempre recordarás las cosas más importantes al final del día. Cuando estés en la cama solo con tus pensamientos, es cuando recordarás la verdad de tu vida. Cuando todo lo demás se despoja - trabajo, relaciones, dinero, etc., es cuando tu verdadero carácter se revela. ¡Eres tu propia persona y eso es hermoso!

Todos tenemos diferentes velocidades para movernos a través de nuestro día y en la vida. Lo que tomas más despacio podría ser algo que otros aceleran. Las cosas que superas en un instante pueden ser el largo viaje de otra persona. Cuanto menos te compares con los demás, más fácil será amarte por lo que realmente eres.

A veces, tendrás que reírte de ello. Ciertas situaciones pueden ser tan estresantes que lo mejor que puedes hacer es sonreír y seguir adelante. Si sientes que todo se está desmoronando a tu alrededor, mira en el espejo e intenta hacer la mayor sonrisa posible.

Cuando estés realmente estresado, puedes soplar suavemente en tus manos o brazos. Dese algo con lo que fijarse, como chicle o mentas. Llena tu casa con los colores adecuados y otras cosas que te hagan sentir bien. Elija los aromas adecuados, como la lavanda, para ayudar a reducir su estrés. ¡Estas cosas pueden parecer tan pequeñas, pero realmente pueden ayudar a llevar tu salud mental más allá de sus límites!

Hay tantas maneras de reducir el estrés, y es hora de que lo enfatice ahora. Sólo empeorará a medida que pase el tiempo, así que no hay mejor momento para aliviar el estrés que ahora mismo.

CPSIA information can be obtained
at www.ICGtesting.com
Printed in the USA
BVHW041501180121
598054BV00006B/193